Gesellschaft für Rechts- und Verwaltungsinformatik e.V. (Hrsg.)
Automation in Gerichts- und Verwaltungsverfahren

Datenverarbeitung im Recht (DVR)

Archiv für die gesamte Wissenschaft der Rechtsinformatik, der Rechtskybernetik und der Datenverarbeitung in Recht und Verwaltung

---

Beiheft 12

1980

J. Schweitzer Verlag · Berlin

Automation in Gerichts- und Verwaltungsverfahren

Referate der 2. Jahrestagung der GRVI

Herausgegeben von der

Gesellschaft für Rechts- und Verwaltungsinformatik e.V. (GRVI)

1980

J. Schweitzer Verlag · Berlin

Autoren

ANDRÉ, Achim, Dr., Ministerialrat im Bundesministerium für Arbeit und Sozialordnung, 5300 Bonn

GARSTKA, Hans-Jürgen, Prof. Dr., Freie Universität Berlin, Institut für Grundlagen u. Grenzgebiete des Rechts, Boltzmannstr. 33, 1000 Berlin 33

GRIMMER, Klaus, Prof. Dr., Gesamthochschule Kassel, Abteilung Verwaltungswissenschaften, 3500 Kassel

HORN, Ulrich, Dr., Universität Oldenburg, Abteilung Verwaltungswissenschaften, 2900 Oldenburg

HUHN, Diether, Prof., Fachhochschule für Verwaltung und Rechtspflege, Kurfürstendamm 206-209, 1000 Berlin 15

SCHÄFER, Wolfgang, Dipl.-Volksw., Dipl.-Soz., Gesamthochschule Kassel, Abteilung Verwaltungswissenschaften, 3500 Kassel

WEIHERMÜLLER, Manfred, Gesellschaft für Mathematik und Datenverarbeitung, Institut für Datenverarbeitung im Rechtswesen, 5205 St. Augustin

Herausgeber

Gesellschaft für Rechts- und Verwaltungsinformatik e.V. (GRVI), Hanomagstraße 8, 3000 Hannover 91

CIP-Kurztitelaufnahme der Deutschen Bibliothek

Automation in Gerichts- und Verwaltungsverfahren: Referate d. 2. Jahrestagung d. GRVI/hrsg. von d. Ges. für Rechts- u. Verwaltungsinformatik e.V. (GRVI). [Autoren André, Achim ...]. - Berlin: Schweitzer, 1980.
(Datenverarbeitung im Recht: Beih.; 12)
ISBN 3-8059-0576-9
NE: André, Achim [Mitarb.]; Gesellschaft für Rechts- und Verwaltungsinformatik

Druck: Color-Druck, Berlin. - Bindearbeiten: Dieter Mikolai, Berlin. - Printed in Germany.

Inhaltsverzeichnis

DAS FORMULAR ALS NORM- UND INFORMATIONSMITTEL[1]

Von Prof.Dr. Klaus Grimmer, Gesamthochschule Kassel

Das Formular ist im allgemeinen Geschäftsverkehr und ist im Umgang der öffentlichen Verwaltungen mit dem Bürger sowie bei der Aufgabenbewältigung innerhalb der Verwaltungen etwas nahezu Selbstverständliches. Verwunderung erzeugt höchstens ein besonders übersichtliches und verständliches Formular oder wenn ein Rechnungshof moniert, daß eine Verwaltung übersehen habe, für das Formular, mit welchem das Hinscheiden eines Lehrers mitgeteilt wird, von diesem 18 Pfennig zu erheben (vgl.FR vom 18.4. 1979, Nr.9o, S.24). Versucht man, den Gegenstand unserer Thematik, das Formular, zu bestimmen, so umschreiben Lexika den Begriff schlicht mit "Vordruck" oder "Muster" und weisen darauf hin, daß das Wort lateinischen Ursprungs ist. Eine solche Begriffserklärung hilft nicht viel. Gleichzeitig wird aber regelmäßig das entsprechende Verb "formulieren" erklärt mit "in die richtige sprachliche Form bringen", ein Formular ist danach etwas, was etwas in die richtige sprachliche Form bringt. In der Regel handelt es sich um einen Gesetzestext oder um die Darstellung eines Ausschnittes aus der Lebenswelt, welche mittels eines Formulars in "Form gebracht werden". Und da vor allem der Jurist die Form und die Förmlichkeit besonders liebt, bereitet es ihm große Freude, die soziale Lebenswelt und das Recht auf Formulare abzufassen, in eine seiner Sprache und seinem Stand entsprechende angeblich richtige Form des Ausdruckes und der Deutung

1 Die Ausführungen beruhen weitgehend auf der Konzeption eines Forschungsprojektes zum Formularwesen, welche gemeinsam mit Prof.Dr.Hans Brinckmann, Gesamthochschule Kassel, und Dipl.-Volksw./Dipl.-Soz. Wolfgang Schäfer, Forschungsprojekt Verwaltungsautomation an der Gesamthochschule Kassel, erarbeitet wurde.

zu bringen. Nur, was ist die richtige Form?

1. Funktionen des Formulares

Ausgangspunkt ist hier die Annahme, daß mittels Formularen die Informationsbeziehungen zwischen Verwaltung und Bürger formalisiert und die Erledigung von Verwaltungsaufgaben strukturiert werden. Die Formalisierung hat eine spezifische Bedeutung für die Sachlichkeit und Berechenbarkeit des Verwaltungshandelns. Dieser Vorteil formalisierter Beziehungen und Entscheidungen vermischt sich mit dem Nachteil einer sachlichen Erledigung ohne Ansehen der Person, die zu materiellen Ungleichheiten im Einzelfall führen kann.

Formulare als Umsetzung eines auf praktische und gesellschaftliche Ziele orientierten Gesetzestextes in personenbezogene Einzelangaben haben im obigen Sinne eine Doppelfunktion: Sie sind einerseits Organisationsmittel/ Arbeitsmittel der öffentlichen Verwaltung und interpretieren und spezifizieren zum anderen die gesetzlichen Grundlagen der Beziehungen zwischen Bürger und Verwaltung.

Unterschieden werden können folgende Ebenen der Verwendung von Formularen: innerorganisatorisch, interorganisatorisch und der Einsatz in der Außenbeziehung einer Behörde[2]. Der innerorganisatorische und interorganisatorische Informationsaustausch weist auf integrierte Informationssysteme und führt zu Forderungen des Daten-

---

2 In einem Finanzamt werden beispielsweise 1735 Vordrucke verwendet, davon 1394 Antragsformulare, Erklärungen, Meldungen, Anerkennungen, Fragebögen, Bescheide, Verfügungen, Mitteilungen u.ä., vgl. B. Jungesblut, Bedingungen und Entwicklungen des EDV-Einsatzes in der Steuerverwaltung, Schriftenreihe des Forschungsprojektes Verwaltungsautomation, H.13. Kassel, Dezember 1978

schutzes, wie z.B. den Kriterien der Zweckgebundenheit oder der Verhältnismäßigkeit bei der Erhebung von personenbezogenen Daten.

Die Funktionselemente des Formulars als Arbeitsmittel und als Informationsmittel sind vielfach miteinander verschränkt.

2. Typen formularmäßiger Informationsvermittlung

Eine Analyse des Informationsinputs über Formulare hat vor allem die Einleitung von Verwaltungsverfahren und seine Ausgestaltung bis zur Entscheidungsfindung sowie die damit verbundenen Informationspflichten und -lasten der Verwaltung und des Bürgers zu reflektieren.

Für die Untersuchung der Rechtsproblematik empfiehlt sich eine Gliederung nach der Art der Beziehung zwischen Verwaltung und Bürger und nach der gesetzlichen Bestimmtheit oder Unbestimmtheit der Informationen, die die Verwaltung in einzelnen Aufgabenbereichen erheben darf.

Unterschieden wird zwischen folgenden Aufgabenbereichen:

- schlichte Informations- und Meldepflichten; Beispiel: Einwohnerwesen, Meldepflicht bei Seuchen, statistische Meldepflichten, insbesondere im Sozial- und Wirtschaftsbereich, Meldepflichten in der Sozialversicherung gegenüber Krankenkassen, der Rentenversicherung und Arbeitslosenversicherung

- Informationslasten bei Anträgen auf behördliche Genehmigung; Beispiel: Bauantrag, Gewerbeantrag, Betreiben eines Kraftfahrzeuges oder einer besonderen Anlage

- Informationslasten bei gesetzlich definierten Leistungsansprüchen (gebundene Leistungsverwaltung); Beispiel: Rentenversicherung, Ausbildungsförderung, Wohngeld

- Informationslasten bei gesetzlich nicht abschließend geregelten Leistungsansprüchen (offene Leistungsverwaltung); Beispiel: direkte oder indirekte Subventionen, Altbaumodernisierung

- Mitwirkungspflichten in der Steuerverwaltung: Hier bestehen sowohl schlichte Meldepflichten, z.B. in der Einkommensteuererklärung, Anmeldung zur Lohnsteuer, zur Umsatzsteuer usw., als auch Antragslasten, z.B. Lohnsteuerjahresausgleich, Einkommensteuerrückerstattung

Zusammenfassend kann zunächst davon ausgegangen werden, daß die formularmäßige Informationsvermittlung oder -hergabe mittels beizubringender Unterlagen dienen kann

- der gesetzlichen Erfüllung von Meldepflichten
- der Offenlegung von gesetzlich definierten Tatbestandsvoraussetzungen für Genehmigungen oder Leistungen
- der Offenlegung von Lebensumständen für eine zweckmäßige Ermessensausübung.

3. Rechtsproblematik

Exemplarische Untersuchungen im Bereich der Rentenversicherung[3] haben deutlich gemacht, daß einerseits Übersetzungsverluste eintreten, indem anspruchsrelevante Tatbestandsmerkmale nicht erfaßt werden, daß andererseits bei der formularmäßigen Erfassung personenbezogener Einzelangaben ein Informationsüberhang auftritt, indem das Formular nicht entscheidungsnotwendige, wenn auch nützliche Informationen erhebt.[4]

---

3 In einer Voruntersuchung wurden die Formulare in der Rentenversicherung am Beispiel der LVA Hessen und der BfA daraufhin untersucht:

- inwieweit bilden die Formulare die entsprechenden Rechtsvorschriften ab bzw. werden zusätzliche Daten erhoben,
- inwieweit werden die Gesetzesdefinitionen übernommen oder verändert,
- inwieweit werden Ermessensspielräume in den Rechtsvorschriften in den Formularen berücksichtigt.

Aus der Sicht des Betroffenen kann sich hieraus ein unzumutbarer Eingriff in Persönlichkeitsrechte ergeben.
Die Annahme, daß die Verpflichtung zum Ausfüllen von Formularen im Rahmen der Verfolgung von Ansprüchen, der Beantragung von Genehmigungen oder Subventionen auch als ein Eingriff in die Persönlichkeits- und Freiheitsrechte des Bürgers zu werten ist, führt zu der Frage, aufgrund welcher Rechtsgrundlagen welche Informationen an wen zu geben sind und in welcher Form sie verarbeitet werden können.

Steuerzahler, Versicherte, Bürger und andere füllen tagtäglich insgesamt eine immense Anzahl von Formularen aus, ohne sich der gesetzlichen Grundlagen, ohne sich ihrer Rechte und Pflichten bewußt zu sein bzw. werden zu können. Angaben über die Rechtsverbindlichkeit der Verwendung von Formularen fehlen meist. Das ist deshalb bedenklich, weil das Verwaltungsverfahren im allgemeinen formlos ist (§ 1o VwVfG), die Verwendung von Formularen aber auch nicht als rechtswidrig angesehen wird, wenn die Anforderung der Behörde zum Ausfüllen von Formularen von den Betroffenen freiwillig befolgt und damit der schnelle und reibungslose Verwaltungsablauf gefördert wird[5].

---

4 Vgl. W.Schäfer: Zur kommunikativen Ausgestaltung von Formularen, am Beispiel des Rentenantrags, hier in diesem Heft; W.Schäfer u. G.Skorka: Die Abbildung von Gesetzestexten auf Formularen in der Rentenversicherung. Schriftenreihe des Forschungsprojektes Verwaltungsautomation, H.17. Kassel, März 1979

5 Vgl. H.J.Knack (Hrsg.): Verwaltungsverfahrensrecht. Köln u.a. 1976, S.12o.

Die verwaltungsrechtliche Literatur widmet dem Formularproblem nur wenig Aufmerksamkeit. Soweit keine speziellen Gesetzesvorschriften kommentiert werden[6], wird das Formular lediglich im Zusammenhang mit dem Kriterium der Zweckmäßigkeit der Ausgestaltung des Verwaltungsverfahrens behandelt[7]. Die rechtliche Struktur des Verhältnisses Verwaltung zum Bürger, die rechtlichen Grenzen des Verwendungszwangs und der Umfang von Fragerechten bleiben außer Betracht[8].

Zwar finden die Fragen nach der Organisationsgewalt der öffentlichen Verwaltungen[9] und ihrer Kompetenz zur Interpretation von Rechtsnormen und zur Ermessensausübung[1o] zunehmend Aufmerksamkeit, aber bereits der Zusammenhang

---

6 Vgl. etwa § 6o II AT-SGB; N.Henke: Mitwirkung des Leistungsberechtigten und Geheimhaltung der Leistungsträger nach dem Allgemeinen Teil des Sozialgesetzbuches, in: VSSR 1976,S.41 ff.(S.45); Burdenski, in:Burdenski/ v.Maydell/Schellhorn: SGB-AT.Neuwied 1976, Anm.9 zu § 6o SGB-AT; H.Dembowski u. G.Schroeder-Printzen (Hrsg.) SGB-AT. Köln 1976, S.353, S.36o, zu § 6o SGB-AT.

7 So H.J.Wolff u.O.Bachof:Verwaltungsrecht III, 4.Auflage. Berlin 1978, S. 342 f.; H.-J.Knack (Hrsg.): Verwaltungsverfahrensrecht. Köln u.a. 1976, Anm. 2.2 zu § 1o VwVfG.

8 Das Formular wird in der Regel nur als "Arbeitsmittel" der Verwaltung gesehen, seiner Rechtsnatur nach als Verwaltungsanweisung verstanden. So E.Forsthoff: Lehrbuch des Verwaltungsrechts. Allg.Teil,9.Auflage. München 1973, S.139; H.-J.Knack (Hrsg.), a.a.O., Anm. 2.2 zu § 1o VwVfG.

9 Vgl. bei H.J.Wolff u. O.Bachof: Verwaltungsrecht II, 4.Auflage.München 1976,S.127 ff.;F.Schnapp: Amtsrecht u. Beamtenrecht. Berlin 1977,S.85 m.w.N.; u.früher schon F.Ossenbühl:Verwaltungsvorschriften u.Grundgesetz. Bad Homburg v.d.H. u.a. 1968, S.25o ff.; sowie H.H.Rupp Grundfragen der heutigen Verwaltungsrechtslehre. Tübingen 1965.

1oVgl. hierzu H.J.Wolff u. O. Bachof: Verwaltungsrecht I, 9.Auflage.München 1974,S. 185. ff; F.Ossenbühl, a.a.O., S. 284 f., S. 311 ff.

zwischen dem Untersuchungsgrundsatz[11], der Aufklärungspflicht sowie den Auskunfts- und Beratungspflichten der Verwaltung einerseits und Mitwirkungspflichten des Bürgers bei der Erfüllung von Verwaltungsaufgaben bzw. der Erbringung von Verwaltungsleistungen andererseits findet nicht die gebotene Bearbeitung[12]. Diese Rechtsprinzipien

---

11 Der Entwurf eines SGB-Verwaltungsverfahrens bestimmt in § 2o I entsprechend § 24 VwVfG die Aufklärungspflicht (Untersuchungsgrundsatz) auch für den Bereich des Sozialrechts; vgl. hierzu u. zum Zusammenhang mit der Beratungs- und Auskunftspflicht nach §§ 14, 15 SGB-AT F.Schnapp: Pflichten des Leistungsträgers im sozialrechtlichen Verwaltungsverfahren, in: DAngVers 1978, S.538 ff. (S. 543).

12 Diese Pflichten und Lasten werden weitgehend isoliert behandelt, wobei insbesondere im Sozialrecht im Zusammenhang mit dem neuen Sozialgesetzbuch eine intensive Erörterung über Art und Umfang der Auskunfts- und Beratungspflichten geführt wurde. W.März: Die Auskunfts- und Beratungspflicht der Landesversicherungsanstalt nach dem Sozialgesetzbuch, in: Mitteilungen der Landesversicherungsanstalt Oberfranken und Mittelfranken, Nr. 11/1977, S.473 ff.; Rundschreiben Gesamtverband der Landwirtschaftlichen Alterskassen Kassel vom 6.1o.1978; N. Henke, a.a.O., S.41 ff.;R.Vorberg: Aufklärung, Beratung und Auskunft nach den §§ 13-15 SGB-AT, Aufgabe, Umfang und Grenzen für die Versorgungsverwaltung, in: der Versorgungsbeamte, Januar 1977, S. 4 ff.; H.Sendler: Beratung und Auskunft durch die Sozialverwaltung - unter besonderer Berücksichtigung der Datenschutzauskunft, in: Die Berufsgenossenschaft, Nr. 8/1978, S.483 ff.; S.Leßner: Aufklärungs-, Beratungs- und Auskunftspflicht der Behörden gegenüber dem Bürger, in: Die Sozialgerichtsbarkeit, Heft 13, Dezember 1974, S.492 ff.; A.Kröninger: Auskunfts- und Beratungspflicht im Bereich der sozialen Sicherung, in: Die Sozialversicherung, April 1973, S. 86 ff.; W. Thiele: Akteneinsicht, Auskunfts- und Beratungspflicht bei Behörden, in: Der öffentliche Dienst, Nr. 4/1978,S.65 ff.; F.E.Schnapp: Möglichkeiten und Grenzen von Aufklärung,Beratung,Auskunft nach dem AT-SGB aus rechtswissenschaftlicher Sicht, in: Zeitschrift für Sozialreform, Heft 8, August 1977, S.449 ff.;F.Tervooren: Möglichkeiten und Grenzen von Aufklärung, Auskunft und Beratung nach dem AT-SGB aus

des Verwaltungshandelns bestimmen maßgeblich die Probleme der Erstellung und Verwendung von Formularen, da sich in ihnen die rechtliche Grundstruktur des Verhältnisses Verwaltung - Bürger ausdrückt und damit auch die Ansprüche an die Produktion der Verwaltung.

Konstituiert wird dieser Problembereich einerseits durch das Rechtsstaatsgebot, und das heißt hier

- Beschränkung der Organisationsgewalt öffentlicher Verwaltungen durch das Gesetz
- Bindung der Informationssammlung als einen Eingriff in die Freiheitssphäre des Bürgers an eine gesetzliche Ermächtigung, welche Inhalt und Umfang zu erhebender Informationen angibt

und andererseits das Sozialstaatsgebot, wonach die Beziehung zwischen Verwaltung und Bürger in einer Weise auszugestalten ist, daß

- keine unverhältnismäßigen Mitwirkungspflichten entstehen, keine Verwaltungsaufgaben auf den Bürger verlagert werden

---

der Sicht der Träger der GKV, in: Zeitschrift für Sozialreform, Heft 8, August 1977, S.466 ff. Problematisch sind vor allem die Auswirkungen unterlassener Beratung auf die Fälligkeit von Leistungsansprüchen einerseits und andererseits die Auswirkungen unterlassener Mitwirkung auf ein Leistungsverweigerungsrecht der Verwaltung. Vgl. hierzu zum allgem. Verfahrensrecht H.Meyer u. H.Borgs-Maciejewski: Verwaltungsverfahrensgesetz. Frankfurt/M. 1976, Anm. 5 u. 16 zu § 25, Anm. 7 zu § 26 VwVfG; F.O.Kopp:Verwaltungsverfahrensgesetz. München 1976, Anm. 1 zu § 25, Anm. 5 zu § 26 VwVfG; zum sozialrechtlichen Verfahren vgl. Schellhorn in: Burdenski/v. Maydell/Schellhorn, a.a.O. Anm. 11 ff. zu § 14, Anm. 15 ff, 42 f. zu § 15 SGB-AT; Burdenski, in: Burdenski/v. Maydell/Schellhorn, a.a.O., Anm. 1 zu § 6o, Anm. 3 ff. zu § 66 SGB-AT.

- der Bürger in die Lage versetzt wird, seine Ansprüche gegenüber öffentlichen Verwaltungen wirksam und mit gleichen Chancen zu begründen.

Besondere Beachtung haben bislang die im Zusammenhang mit der hier erörterten Thematik stehenden Rechtsprobleme der schlichten Informationspflichten gefunden. Neben den allgemeinen Pflichten, im Rahmen der Statistik mitzuwirken[13], haben besonders die fortlaufend wachsenden Melde- und Auskunftspflichten von Unternehmen Forschungsaufwand erzeugt[14]. Die Informationslasten im Rahmen von Anträgen fanden hier jedoch noch keine Berücksichtigung. Auch der Datenschutz, der neben der Zweckgebundenheit der Daten die Vollständigkeit und Kontextgebundenheit fordert[15], gehört in den Kontext der hier zu erörternden Fragen. Eine inhaltliche Konkretisierung dieser Kriterien ist aber bisher nicht geleistet worden, so daß die Verwaltung selbst das Definitionsrecht für Vollständigkeit und Kontextgebundenheit in Anspruch nimmt. Die Konkretisierung dieser Begriffe wird auch nur in fallbezogenen Analysen zu entwickeln sein.

---

13 Vgl. hierzu insbesondere das Mikrozensus-Urteil BVerfGE 27,1.

14 Vgl. W.Kilian: Melde- und Auskunftspflichten des Arbeitgebers im Personalbereich, in:Betriebsberater 1977, S.1153, sowie ein im Auftrag des BMFT durchgeführtes Projekt von Wilhelm Steinmüller, dessen Ergebnisse noch nicht zugänglich sind.

15 Zur Zweckgebundenheit vgl. Dammann, in: Simitis/Dammann/Mallmann/Reh: Bundesdatenschutzgesetz. Baden-Baden 1978, Anm. 5.1 zu § 1o BDSG; zum Postulat der Vollständigkeit und Kontextgebundenheit vgl. O.Mallmann: Zielfunktionen des Datenschutzes. Frankfurt/M. 1977, S. 76 ff.; zum Verhältnis von Auskunftsrechten nach §§ 14, 15 SGB I und §§ 12, 13 BDSG vgl. H.Heußner: Probleme des Datenschutzes in der Sozialversicherung, in: Zeitschrift f.d.Ges.Vers.Wiss. 1978, S.57 ff. (S.68 ff.).

In einer Einzelanalyse der Rechtsproblematik sind mehrere Aspekte zu unterscheiden:

Geht man von der Annahme aus, daß die Verwaltung mittels Formularen Informationen sammelt und die Beziehungen zum Bürger formalisiert und strukturiert, so ergibt sich zunächst die Frage nach der gesetzlichen Bindung der Informationserhebung und der Bindung des Gesetzgebers selbst bei der Festlegung von Informationspflichten (1).

Die Verwendung von Formularen ist in der Regel gesetzlich nicht abschließend geregelt. Grundlage für die Kompetenz der Verwaltung zur Erstellung von Formularen sind die Organisationsgewalt und die Nichtförmlichkeit des Verwaltungsverfahrens (2). Die Festlegung von Informationspflichten in Formularen durch die Verwaltung stellt regelmäßig eine Operationalisierung von in gesetzlichen Tatbeständen oder durch die gesetzgeberische Zwecksetzung umschriebenen allgemeiner Genehmigungs- oder Leistungsvoraussetzungen dar (3).

Die Analyse der hier - (1) - (3) - angesprochenen Probleme kann Aufschluß über die Rechtsqualität von Formularen geben.

Das Verwaltungsverfahren wird vom Untersuchungsgrundsatz und der Aufklärungspflicht beherrscht (4). Die Verwaltung hat gegenüber dem Bürger Beratungs- und Auskunftspflichten (5); sie hat zugleich die personenbezogenen Daten des Bürgers zu schützen. Der Bürger selbst ist vielfach gesetzlich zur Mitwirkung bei der Erfüllung von Verwaltungsaufgaben verpflichtet (6). Zwischen diesen verschiedenen Verpflichtungen und Rechtsgrundsätzen besteht ein Spannungsverhältnis, das alternative Antworten auf die Fragen nach Inhalt und Umfang sowie Ausgestaltung von Formularen zuläßt (7).

Die Erarbeitung von Kriterien für die Rechtsqualität von Formularen und zu den rechtlichen Verpflichtungen von Verwaltung und Bürger im Informationsbereich bildet schließlich die Voraussetzung, den Verpflichtungsgehalt der Verwendung von Formularen bzw. die zulässigen Rechtsfolgen bei deren Nichtverwendung bestimmen zu können.

(1) Informationsrecht und Informationspflicht

Die Etablierung von Informationspflichten des Bürgers gegenüber der Verwaltung bedarf der gesetzlichen Grundlage, da jede Informationspflicht einen Eingriff in die Freiheit des Bürgers darstellt. Inhalt und Umfang der Informationspflicht müssen im Gesetz konkretisiert sein (Grundsatz der Bestimmtheit von rechtlichen Eingriffen, wobei bei schlichten Meldepflichten das Gesetz diese unmittelbar konkretisiert, während im Bereich der Leistungsverwaltung die Informationspflichten durch die Tatbestandsvoraussetzungen der Leistung bestimmt sind.

Die gesetzliche Festlegung von Informationspflichten darf nicht willkürlich sein; sie ist beschränkt durch den Zweck des Gesetzes und steht unter dem Grundsatz der Verhältnismäßigkeit; sie muß verfassungskonform sein[16].

---

16 Zur Problematik erg.-m.w.N. - H.Brinckmann u. K. Grimmer: Rechtsfragen der Weiterbildung, der Information und der Bildungsstatistik, in: Deutscher Bildungsrat, Gutachten und Studien der Bildungskommission, Bd.33. Stuttgart 1974, S.67 ff.(S.156 ff.); H.Brinckmann u. E. Heyse: Kommunikation und Information im Leistungsbereich des Grundrechts der Meinungsfreiheit, in: K.Lenk (Hrsg.): Informationsrecht und Kommunikationspolitik. Darmstadt 1976, S.81 ff. (S.1oo ff.); K. Grimmer: Informationsverbund:Öffentlicher und privater Bereich - Problemskizze-,in: W.Steinmüller (Hrsg.): Informationsrecht und Informationspolitik. München-Wien 1976, S.66 ff.(S.82 ff.).

(2) Nichtförmlichkeit des Verwaltungsverfahrens und Organisationsgewalt der Verwaltung

Die Ausgestaltung der Beziehungen zwischen Bürger und Verwaltung ist gesetzlich nicht abschließend geregelt. Das VerwVfG geht vom Regelfall der Nichtförmlichkeit des Verwaltungsverfahrens aus (§ 1o VerwVfG)[17]. Nichtförmlichkeit des Verfahrens heißt dem Prinzip nach auch, daß die Einleitung eines Verwaltungsverfahrens an keine Formvorschrift, auch nicht an die Verwendung bestimmter Formulare gebunden ist und daß ebenso die Bescheidung eines Begehrens nicht von der Einhaltung bestimmter Formvorschriften oder von der Verwendung bestimmter Formulare abhängig gemacht werden darf - soweit sich gesetzlich keine andere Regelung ergibt.

Soweit gesetzlich die Verwendung von Vordrucken vorgesehen ist, handelt es sich in der Regel nur um Soll-Vorschriften (z.B. § 6o Abs.2 SGB-AT)[18]. Im Rahmen der Organisationsgewalt der Verwaltung erscheint es als zulässig, daß die Verwaltungsbehörde sowohl für die interne Aufgabenerledigung als auch für den Informationsaustausch mit dem Bürger Vordrucke und Formulare als ein "Arbeitsmittel" verwendet und so die Informationsbeziehungen zum Bürger formalisiert. Die Verwaltung kann aber selbst nicht die Verwendung von Vordrucken und Formularen ohne entsprechende gesetzliche Regelungen für verbindlich erklären[19]. Dies würde dem Grundsatz der Nichtförmlich-

---

17 Hierzu H.J.Wolff u. O.Bachof: Verwaltungsrecht III, a.a.O., S.333; H.Meyer u.H.Borgs-Maciejewski, a.a.O., Anm. 1 zu § 1o VwVfG; H.-J.Knack (Hrsg.), a.a.O.,Anm. 2 zu § 1o VwVfG; P.Weides:Verwaltungsverfahren und Widerspruchsverfahren. München 1977, S.29.

18 Vgl. H.Dembowski u. G.Schroeder-Printzen (Hrsg.), a.a.O., S. 36o zu § 6o SGB I.

19 Strittig ist, ob die Behörde die Bearbeitung eines Vorbringens von der Ausfüllung eines Formulars ab-

keit widersprechen und eine rechtliche Begrenzung der Beziehungen zwischen Verwaltung und Bürger darstellen.

Die Verwaltung darf auch keine Informationen erheben, welche nicht unmittelbar im Gesetz oder aufgrund eines Gesetzes als Meldepflichten oder Tatbestandsvoraussetzungen eines Leistungsanspruches festgelegt sind und wofür ihre Zuständigkeit gegeben ist, wobei es ohne Bedeutung ist, ob die Verwaltung von Amts wegen oder auf Antrag tätig wird[2o].

Nach § 64 VwVfG kann die Form des Antrags vorgeschrieben werden, wobei grundsätzlich die Antragstellung formfrei ist. In besonderen Fällen kann der Gesetzgeber den Antragsinhalt durch ein amtliches Formblatt vorschreiben[21]. Anträge und Erklärungen, die nach einem amtlichen Muster abzugeben sind, müssen, wenn amtliche Formulare nicht verwendet werden, in allen Einzelheiten dem amtlichen Muster entsprechen.

---

hängig machen darf - so F. Kopp, a.a.O., Anm. 2 zu § 64 VwVfG, wenn dadurch die Antragstellung nicht unzumutbar erschwert wird -, einschränkend nur bei gesetzlicher Verpflichtung oder wenn die Formulare von der Behörde zur Verfügung gestellt werden, H.J.Wolff u. O.Bachof, a.a.O., S.342 f. m.w.N.; teilweise a.A. H.J.Knack (Hrsg.), a.a.O., Anm. 2.2 zu § 1o VwVfG, jeweils m.w.H.

20 Die Operationalisierung und Formalisierung des Informationsaustausches mittels Formularen kann die Nachprüfung ihrer Erforderlichkeit und Zulässigkeit - auch unter dem Gesichtspunkt des Datenschutzes - erleichtern, die Verwendung von Formularen kann so unter Rechtsstaatsgesichtspunkten sinnvoll sein. Zum Zusammenhang zwischen dem Grundsatz der Nichtförmlichkeit und rechtsstaatlicher Erfordernisse vgl. H. Meyer u.H. Borgs-Maciejewski, a.a.O., Anm.1 zu § 1o VwVfG.

21 P. Weides: Verwaltungsverfahren und Widerspruchsverfahren, a.a.O., S. 29.

Die Formalisierung der Informationsbeziehungen steht unter den verfahrensrechtlichen Grundsätzen der "einfachen" und "zweckmäßigen" Ausgestaltung des Verwaltungsverfahrens (§ 1o VwVfG)[22].

Die verfassungsrechtliche Diskussion behandelt diesen Sachverhalt unter dem Aspekt der typisierenden Betrachtungsweise[23]. Verwaltungsentscheidungen sind einerseits Einzelfallentscheidungen, andererseits sieht sich die Verwaltungspraxis einer Vielzahl von gleichförmigen Fällen gegenüber. Konsequenz dieser Situation ist die standardisierte und rationelle Bearbeitung unter Verwendung von Formularen. Verwaltung als Normkonkretion und Verwaltung als reale Organisation von Arbeitsabläufen mit begrenzten Ressourcen treten auseinander.

In der verwaltungsverfahrensrechtlichen Literatur wird betont, daß der Grundsatz der Nichtförmlichkeit nach § 1o VwVfG unter dem Vorbehalt besonderer Rechtsvorschriften steht und daß Einfachheit und Zweckmäßigkeit ein Spannungsverhältnis zu möglichster Sicherheit und Ermittlung aller Umstände bilden[24]. In den meisten

---

22 Der Grundsatz der Einfachheit und Zweckmäßigkeit wird in der Literatur vielfach nur als Programmsatz verstanden; vgl. etwa H.Meyer u. H.Borgs-Maciejewski, a.a.O., Anm. 3 zu § 1oVwVfG; W.Eichler: Verwaltungsverfahrensgesetz. Percha 1978, Anm. zu §1o VwVfG. Die Bedeutung dieser Vorschrift wird dabei unzutreffenderweise heruntergespielt, gerade für die Gestaltung von Vordrucken hat diese Bestimmung besondere Relevanz; vgl. auch H.J.Knack (Hrsg.), a.a.O., Anm. 3.1 ff. zu § 1o VwVfG; F.O.Kopp, a.a.O., Anm. 4 zu § 1o VwVfG.

23 J.Isensee: Die typisierende Verwaltung. Berlin 1976; Chr.Pestalozza: Der Untersuchungsgrundsatz, in: W. Schmidt-Glaeser (Hrsg.): Verwaltungsverfahren. Stuttgart 1977, S. 185 ff.

24 Siehe H.J.Wolff u. O.Bachof: Verwaltungsrecht III, a.a.O., S.333.

Fällen wird eine Zweckmäßigkeit der Formulare angenommen, da sie im Regelfall alle wesentlichen Tatsachen berücksichtigen und bei maschineller Bearbeitung unentbehrlich sind[25].

(3) Operationalisierung eines Gesetzestextes mittels Formularen und Entscheidungsbindung durch Formulare

Enthält das Gesetz weder zu verwendende Vordrucke für die Informationsvermittlung noch operationalisierte Angaben über zu erbringende Informationen, nimmt die Verwaltung mit der Erstellung von Formularen eine Gesetzesinterpretation und unter Umständen eine Ermessensbindung vor[26], um den Informationsbedarf zu operationalisieren.

Die Abbildung von Gesetzestexten in Formularen beinhaltet mehrere Probleme und zwar hinsichtlich

- der Interpretationsgewalt der Verwaltung: kann die Verwaltung bereits bei der Erstellung von Formularen unbestimmte Rechtsbegriffe in bestimmter Weise konkretisieren und allgemein verbindlich für ihre Praxis erklären?

- der Ermessensbindung der Verwaltung: kann die Verwaltung bereits mit der Erstellung von Formularen einen ihr gegebenen Ermessensspielraum durch die Auswahl von Informationen, welche sie nachfragt, eingrenzen und so eine Selektion zwischen einer Vielzahl möglicher relevanter Informationen vornehmen?

---

25 H.J.Wolff u. O.Bachof, ebda., S.343.

26 Formulare stellen insoweit Verwaltungsvorschriften dar, welchen sowohl kraft Inhalt und Funktion und kraft Selbstbindung eine selbständige Außenwirkung zukommt (zur Außenwirkung von Verwaltungsvorschriften vgl. F.Ossenbühl, a.a.O.,S.5o2 ff.,S.514 ff.,F.Schnapp: Amtsrecht und Beamtenrecht, a.a.O. S.231 ff.). Norminterpretierende Verwaltungsvorschriften sind in ihrer Außenwirkung unproblematisch, da die zugrundeliegenden Vorschriften von den Gerichten auf ihre richtige Interpretation voll nachprüfbar sind; anders verhält es sich bei "Beurteilungsrichtlinien",da die Ermessensausübung von den Gerichten nur auf Fehler-

- der Erweiterung des Informationswissens der Verwaltung: kann die Verwaltung mittels Formularen oder beizubringender Unterlagen auch Informationen sammeln, welche zwar im Einzelfall nicht durch den Gesetzeszweck gedeckt, aber für die Erfüllung anderer Verwaltungsaufgaben nützlich sein können (z.B. im Zusammenhang mit einem Sozialhilfeantrag Informationen für einen möglichen Anspruch auf Wohngeld oder für Maßnahmen der Jugendwohlfahrt)?

- der Strukturierung des Informationsbedarfes: kann die Verwaltung Formulare so gestalten, wie es für ihre eigene Informationsverarbeitung nützlich ist oder hat sie sich an der Lebensituation des Bürgers zu orientieren?

Bei der Diskussion dieser Fragen wird von folgendem auszugehen sein:

Grundsatz der Zweckbindung: Die Verwaltung kann nur solche Informationen mittels Formular erheben, welche durch den Gesetzestext gedeckt sind. Lediglich in Fällen, in welchen die Verwaltung auch von Amts wegen tätig werden muß, kann sie im gleichen Aufgabenbereich weitergreifende Informationen erheben (Sozialhilfe - Jugendwohlfahrt).

Grundsatz der Vollständigkeit: Die Verwaltung hat alle für die Entscheidung im Einzelfall erforderlichen Informationen zu erheben[27].

Grundsatz der Einzelfallentscheidung: Die Verwaltung kann nicht durch Formulare eine Einschränkung ihres Ermessens vornehmen, da der Bürger einen Anspruch auf Ausschöpfung des gesetzlich eingeräumten Ermessensspielraums hat. Eine allgemeine Bindung des Entscheidungsermessens durch die Verwaltung kann nur auf Grund einer

---

haftigkeit oder Mißbrauch überprüfbar ist.

27 Der Grundsatz der Vollständigkeit steht im Zusammenhang mit dem Untersuchungsgrundsatz und der Aufklärungspflicht der Verwaltung (§ 24 VwVfG, § 2o Entw. SGB-Verwaltungsverfahren).

besonderen gesetzlichen Ermächtigung erfolgen und bedürfte der Form der Rechtsverordnung[28].

(4) Verwaltungsverfahrensrechtliche Grundsätze: Untersuchungsgrundsatz und Aufklärungspflicht

Das Verwaltungsverfahren wird beherrscht vom Untersuchungsgrundsatz und einer Aufklärungspflicht der Verwaltung, gleichgültig ob sie von Amts wegen oder auf Antrag tätig wird[29]. Diese Pflichten sind Ausfluß des Prinzips der Gesetzmäßigkeit, d.h. die Verwaltung hat innerhalb des gewaltenteilenden politischen Systems die Aufgabe, gesetzlich festgelegte Rechte und Pflichten in Praxis zu setzen.

Nach § 24 VwVfG gilt für die Ermittlung des Sachverhaltes der Untersuchungsgrundsatz, der die Behörde verpflichtet, für den Einzelfall bedeutsame Tatsachen zu erforschen, da die Exekutive die ihr zugewiesenen Verwaltungsaufgaben im öffentlichen Interesse durchführt und eine sachliche und richtige Entscheidung gefordert

---

28 Vgl. in diesem Zusammenhang H.Brinckmann: Gerichtliche Kontrolle von strikt geregeltem Verwaltungshandeln. Forschungsprojekt Verwaltungsautomation, Heft03, 2.Auflage. Kassel 1977.Zum Grundsatz der Einzelfallentscheidung und zur Begrenzung typisierender Betrachtungsweise siehe bei H.J.Wolff u. O.Bachof: Verwaltungsrecht I, a.a.O., S.385, S.462 ff. Im Unterschied zu einer Allgemeinverfügung, welche einen konkreten Sachverhalt gegenüber unbestimmt vielen Personen regelt, liegt bei einer allgemeinen Bindung des Entscheidungsermessens kein konkreter Sachverhalt,keine konkrete Entscheidungssituation vor.

29 Vgl. H.J.Wolff u. O.Bachof: Verwaltungsrecht III, a.a.O.,§156 IV c; Chr.Pestalozza: Der Untersuchungsgrundsatz a.a.O., S.185 ff. (S. 188 ff.); F.Kopp, a.a.O., Anm. 2 ff. zu § 24 VwVfG.

ist[3o]. Die Intensität der Ermittlung des Sachverhaltes hängt vom Einzelfall ab.

Die Genauigkeit hat Vorrang vor Eilbedürftigkeit und Kostengesichtspunkten. Auch bei sogenannten Massensachverhalten mit schematisierter und minimaler Aufklärung des Sachverhaltes müssen schwerwiegende Rechtsbeeinträchtigungen vermieden werden[31]. Schnelligkeit, Einfachheit und Zweckmäßigkeit können nur dann den Vorrang in der Verfahrensgestaltung beanspruchen, wenn die möglichen Rechtsbeeinträchtigungen im Einzelfall gering sind, die Verfahrensgestaltung ansonsten aber der raschen Rechtsverwirklichung für viele dient - oder anders gewendet: die möglichen Rechtsbeeinträchtigungen müssen im Verhältnis zu dem Nutzen eines Verfahrens verhältnismäßig gering sein. Keinesfalls dürfen Rechtsbeeinträchtigungen in die Verfahrensgestaltung "eingeplant" sein.

Am Beispiel des Rentenantrages wird die Schwierigkeit der Abgrenzung sichtbar. Einerseits handelt es sich beim Rentenantrag durchaus um einen Massensachverhalt, zum anderen hat die Entscheidung über die Höhe der Rente für den einzelnen existenzielle Bedeutung.

Wenn der Untersuchungsgrundsatz die Behörde verpflichtet, die für den Einzelfall bedeutsamen Tatsachen zu erforschen, so kann darin auch eine Begrenzung der Informationslast des Bürgers und damit seiner Pflicht, ein Formular auszufüllen,gesehen werden.

3O H.J. Wolff u. O.Bachof: Verwaltungsrecht III, a.a.O., S.334 ff.; P.Weides, a.a.O.,S.69; P.Badura:Das Verwaltungsverfahren, in: H.-U.Erichsen u. W.Martens (Hrsg.): Allgemeines Verwaltungsrecht. 2.Auflage. Berlin-New York 1977, S.265

31 So H.J.Knack (Hrsg.), a.a.O.,Anm. 3.1 zu §24 VwVfG; Chr. Pestalozza spricht von einem grundsätzlichen Typisierungsverbot, a.a.O., S. 189

Aus dem Untersuchungsgrundsatz ergibt sich, daß Formulare so gestaltet sein müssen und beizubringende Unterlagen so zu spezifizieren sind, daß sie eine gesetzesmäßige Entscheidung im Einzelfall ermöglichen.

(5) Verwaltungsverfahrensrechtliche Grundsätze: Beratungs- und Auskunftspflichten

Sozialstaats- und Rechtsstaatsprinzip verlangen, daß der Bürger nicht durch Unkenntnis seinen Rechtsanspruch verliert. § 25 VwVfG nimmt diesen Gesichtspunkt auf, indem der Sachbearbeiter sich im Verwaltungsverfahren auch als Helfer des Staatsbürgers verstehen und Auskunft und Beratung erteilen soll. Die Vorschrift macht deutlich, daß es sich hierbei um die Art und Weise einer Ausgestaltung des Verhältnisses der Verwaltung zum Bürger handelt[32]. §§ 14 und 15 SGB Allg. Teil haben dieses Prinzip als eine Verpflichtung der Sozialverwaltung näher ausgestaltet[33].

Da Auskunfts- und Beratungspflichten vorwiegend im Sozialrecht entwickelt wurden, wird im folgenden auf die Regelungen in §§ 13 und 15 SGB-AT Bezug genommen. Ausgangspunkt dieser Bestimmungen ist die Einsicht, daß das Sozialleistungssystem nur dann greift, wenn der Bürger eine umfassende Information über seine Rechte und Pflichten hat. Aufklärungs-, Beratungs- und Auskunftspflichten sowie die Mithilfe bei der Antragsstellung gemäß § 16 Abs.3 SGB-AT begründen sich in der Maxime, dem Bürger einen einfachen und reibungslosen Zugang zu den Sozialleistungen zu ermöglichen. Die Notwendigkeit,

---

32 H.J.Knack (Hrsg.), a.a.O., S. 187 f.; P.Badura,a.a.O. S.269; H.J.Wolff u. O.Bachof: Verwaltungsrecht III, a.a.O., S.34o

33 Vgl.hierzu die Hinweise oben unter 3.

Formulare auszufüllen, um seinen Rechtsanspruch geltend zu machen, stellt häufig vor allem für den rechtsunkundigen Bürger eine erhebliche Schranke der Leistungsgewährung dar. § 17 Abs. 3 SGB-AT enthält deshalb für die Leistungsträger das Erfordernis, bei der Antragstellung allgemein verständliche Formulare zu benutzen. Der Hinweis, daß die Gestaltung von Formularen in erster Linie von den Gesetzen abhängt[34], ist insofern pauschal, als z.B. beim Rentenantrag der Gesetzestext in unterschiedlicher Weise abgebildet wird und sich somit in der Praxis der Verwaltung erhebliche Gestaltungsspielräume aufzeigen lassen.

Aus der Auskunfts- und Beratungspflicht ergeben sich bestimmte Gestaltungsanforderungen an Formulare. Der Bürger muß in einer Weise "angesprochen" werden, die es ermöglicht, alle anspruchsrelevanten Informationen oder Unterlagen mitzuteilen und nur solche Informationen.

(6) Verwaltungsverfahrensrechtliche Grundsätze: Mitwirkungspflicht des Bürgers

Die Mitwirkungspflicht der Betroffenen wird in § 26 Abs. 2 VwVfG angesprochen. Dabei handelt es sich um eine Sollvorschrift, die als Nebenpflicht anzusehen ist[35]. Manche Autoren vermeiden den Ausdruck "Pflicht" und sprechen von verfahrengsrechtlicher Last, es sei denn, spezielle gesetzliche Regelungen würden eine solche Pflicht begründen[36]. Während bei Mitwirkungsgeboten die Behörde Zwangsmittel einsetzen kann, hat bei einem Antrag auf Leistungsgewährung die mangelnde Mitwirkung lediglich Auswirkungen auf die Aufklärung des gesetzlichen Anspruchstatbestandes. Der Antrag kann als unge-

---

34 Burdenski, a.a.O., S. 15o
35 H.J.Knack (Hrsg.), a.a.O., S.183
36 P. Badura, a.a.O., S.265

rechtfertigt abgelehnt werden, wenn die Behörde ihren Betreuungspflichten nachgekommen ist[37].

Im Verwaltungsverfahrensgesetz fehlt bei den Vorschriften über die Mitwirkungspflicht und die Angabe von Tatsachen die Erwähnung des Formulars. Es wird lediglich auf Spezialgesetze verwiesen. Im SGB-AT, das sich zwar einerseits nur auf den sozialrechtlichen Bereich bezieht, andererseits aber durch den Charakter der allgemeinen Zusammenfassung von Einzelvorschriften einen gewissen Allgemeinheitsgrad hat, ist in § 6o Abs. 2 SBG-AT eine Sollvorschrift über die Verwendung von Formularen enthalten: soweit Formulare vorgesehen sind, sollen diese auch benutzt werden[38].

Dabei wird davon ausgegangen, daß die Verwendung von Formularen nicht nur der Verwaltungsvereinfachung dient sondern auch den Interessen des Leistungsberechtigten nach vollständiger Angabe von Anspruchsvoraussetzungen[39]. Keinesfalls beinhaltet die Mitwirkungspflicht, daß die Verwaltung Aufgaben auf den Bürger abwälzen darf. Zu fragen wäre, ob die verschiedenen Formulare diesem Kriterium gerecht werden.

---

37 P. Weides, a.a.O.,S.71. Die Ermittlungspflicht der Behörde hört nicht dort auf, wo eine Mitwirkungspflicht Beteiligter beginnt. Das Verwaltungsverfahren kennt nur eine Beweisführungslast und-pflicht der Verwaltung; siehe auch Chr. Pestalozza, a.a.O.,S.192, S.197;zum Rechtscharakter der Mitwirkungspflichten N.Henke, a.a.O., S. 49 ff.

38 Diese Sollvorschrift begrenzt weder die Aufklärungs- noch die Beratungspflicht der Verwaltung; zu weitgehend deshalb, von einer"Pflicht zur Benutzung vorgesehener Vordrucke"zu sprechen, wie N.Henke,a.a.O.S.49.

39 Vordrucke können den Leistungsberechtigten in die Lage versetzen, die für die Leistung erforderlichen Angaben zu machen;so H.Dembowski und G.Schroeder-Printzen, a.a.O., S. 353

Da die Mitwirkungspflichten des Betroffenen einen Eingriff in die Persönlichkeits- und Freiheitsrechte darstellen, handelt es sich bei den §§ 61 bis 64 SGB-AT um Sollvorschriften, deren Grenzen in § 65 SGB-AT definiert sind.

(7) Zusammenfassung

Untersuchungsgrundsatz und Aufklärungspflicht, Auskunfts- und Beratungspflicht einerseits und Mitwirkungspflicht andererseits stecken den Rahmen eines rechtlich zulässigen Einsatzes von Formularen und ihrer Ausgestaltung ab. Sie begrenzen die organisatorische Gestaltungskompetenz der Verwaltung und beinhalten gleichzeitig rechtliche Verpflichtungen für eine aktive Informationspflicht der Verwaltung. Inhalt und Umfang der Informationsrechte und -pflichten werden durch die zugrundeliegenden materiellen Gesetzesbestimmungen geregelt.

4. Formular als Rechtsverordnung oder als Kommunikationsmittel

Die Analyse von Einzelproblemen soll hier abgebrochen werden, und da diese Problemskizze auch Grundlage für ein Forschungsprojekt zum Formular ist, wäre es vermessen, abschließende Ergebnisse vorzustellen. Nur vier Aspekte möglicher weiterer Überlegungen möchte ich noch ansprechen:

(1) Zu unterscheiden ist zwischen einem Formular als internem Arbeitsmittel und Formularen, welche die Außenbeziehungen einer Verwaltung strukturieren, also vor allem Antragsformularen. Mittels eines Formulars als internem Arbeitsmittel kann der in einem gesetzlichen Tatbestand umschriebene Informationsbedarf für die Ent-

scheidungsbildung strukturiert werden, die Entscheidung darf nicht unabhängig von der Prüfung des Einzelfalles getroffen werden. Ein Formular, welches den Charakter eines Arbeitsmittels haben soll und insofern eine Verwaltungsvorschrift darstellt, darf weder eine Selektion des Informationsbedarfes noch eine Aufhebung des Ermessensspielraumes beinhalten, wenn damit eine Prüfung und Würdigung des Einzelfalles ausscheidet. Näheren Aufschluß über den Charakter eines Formulars können nur empirische Untersuchungen ergeben.

(2) Wenn das Formular nicht nur als Arbeitsmittel der Erfassung von anderweitig definierten Daten dient, sondern eine Gesetzeskonkretion, eine Ermessensbindung oder eine Strukturierung und Begrenzung des Verwaltungshandelns oder der gesetzlich zulässigen Verwaltungsleistungen darstellt[40], hat es Normcharakter, ähnlich manchen Arbeitsanleitungen und Dienstanweisungen bei der DV-Anwendung im Verwaltungsbereich[41]. Eine solche Rechtsnorm hat nicht nur verwaltungsinterne Wirkung und ist demgemäß nicht nur als Verwaltungsvorschrift zu qualifizieren, sondern entspricht in ihrer Funktion einer Rechtsverordnung[42].

---

40 Vgl. W.Schäfer: Zur Kommunikativen Ausgestaltung von Formularen, am Beispiel des Rentenantrages, hier in diesem Heft.

41 Erg.Th.Karlsen, EDV und Verwaltungsstruktur, Schriftenreihe des Forschungsprojektes Verwaltungsautomation, H.14. Kassel, Dezember 1978, S.25 ff.,S.41,ff.

42 Vgl. zur Rechtsverordnung H.J.Wolff und O. Bachof: Verwaltungsrecht I, 9. Auflage. München 1974,S.133 f.

Dies bedeutet, daß es einer besonderen gesetzlichen Regelung für die Zulässigkeit solcher Formulare und einer gesetzlichen Bestimmung des zum Erlaß berechtigten Organes bedarf.

Formulare als Rechtsverordnung gewährleisten vermutlich eine gewisse Einheitlichkeit in der Erledigung von Verwaltungsaufgaben. Sie ermöglichen auch einen vorbeugenden Rechtsschutz, soweit in den Landesgesetzen zu § 47 Abs. 1 Ziffer 2 VwGO eine Überprüfbarkeit von unter Landesgesetzen stehenden Rechtsnormen durch die OVG vorgesehen ist, sie können dann im Wege der abstrakten Normenkontrollklage auf ihre Rechtmäßigkeit überprüft werden. Dies ist deshalb bedeutsam, da die mittels Formularen typisierte und formalisierte Aufgabenerledigung zwar in der Regel eine Gleicheit des Verwaltungsproduktes bewirkt, eine fehlerhafte Rechtsanwendung aber nicht an der Verschiedenartigkeit von Verwaltungsprodukten im gleichen Gegenstandsbereich erkennbar wird, der in dieser Unterschiedlichkeit vielfach begründete Anlaß zur Inanspruchnahme von Rechtsmitteln nicht gegeben ist.[43]

Der mögliche Charakter von Formularen als Rechtsverordnung hat in der Praxis zur Folge, daß in Formularen häufig nur Gesetzesvorschriften in unverständlicher Weise wiedergegeben werden, sie also nur einen "Abdruck" des Gesetzes darstellen sollen. Eine Qualifikation als Rechtsverordnung kann aber auch bewirken, daß die Verwendung solcher Formulare eingeschränkt wird,

---

43 Vgl. K.Grimmer, H.Heußner, U.Horn, Th.Karlsen, K.Lenk: Rechtsverwirklichung bei strikt geregeltem Verwaltungshandeln. Schriftenreihe des Forschungsprojektes Verwaltungsautomation, H.16. Kassel, November 1978

um den Aufwand für eine Rechtsverordnung zu vermeiden und damit die mit den Regeln des Verwaltungsverfahrens wie Untersuchungsgrundsatz, Aufklärungspflicht, Beratungs- und Auskunftspflicht einerseits und Mitwirkungspflicht des Bürgers andererseits implizierte kommunikative Ausgestaltung der Beziehungen zwischen Verwaltung und Bürger sich stärker in der Verwaltungspraxis realisiert. Eine solche kommunikative Ausgestaltung des Verwaltungsverfahrens entspricht m.E. auch dem Verhältnis Staat/Verwaltung und Bürger, wie es das Grundgesetz skizziert (dies ist hier nicht im einzelnen zu erörtern).

(3) Die verwaltungsrechtlichen Grundsätze einer kommunikativen Verfahrensgestaltung und das Prinzip der Rechtsgebundenheit der Verwaltung und der Rechtsklarheit haben nicht nur eine deklaratorische Funktion. Für den Rechtsbestand von Formularen und für die Beurteilung unvollständiger Formularangaben durch den Bürger oder die Nichtverwendung von Formularen sind sie unmittelbar beachtlich.

Zwei Thesen hierzu:

a) Formulare, welche nicht alle für die Entscheidung des Einzelfalles in einem gesetzlichen Tatbestand als beachtlich gekennzeichneten Informationen erheben oder die für eine umfassende Ermessensprüfung relevanten Daten erfassen (Bereiche gebundener oder ungebundener Informationslasten), sind - soweit diese Daten der Verwaltung nicht bekannt sind und diese Kenntnis dem Bürger mitgeteilt wird - unvollständig und rechtswidrig.

b) Formulare, welche aus sich für den jeweiligen Adressaten nicht verständlich sind und nicht gewährleisten, daß alle für die Entscheidung im Einzelfall erforderlichen Informationen beigebracht werden, sind ebenfalls unvollständig; ihre Nichtverwendung oder aus der Sicht der Verwaltung unvollständige oder falsche Verwendung ist rechtlich folgenlos, auch wenn die Verwendung von Formularen im Gegenstandsbereich vorgeschrieben ist (Bereiche Meldepflichten, gebundene oder ungebundene Informationslasten).

Solche Formulare sind schlichte Informationsaustauschmittel. Die Verwaltung hat im Einzelfall darauf hinzuwirken, gleichgültig ob es sich um gebundene oder ungebundene Informationslasten handelt, daß der Bürger in einer ihm zumutbaren Weise die zur Einzelfallprüfung erforderlichen Informationen beibringt. Unvollständige Formulare sind nichts anderes als ein das Verwaltungsverfahren vorbereitendes oder unterstützendes Arbeitsmittel. Die Bestimmung von Kriterien für die Vollständigkeit und Verständlichkeit von Formularen bedarf weiterer, am Einzelfall orientierter empirischer Untersuchungen.

(4) Die rechtlichen Probleme, welche mit der Verwendung des Formulars verbunden sind, legen es nahe, Formulare weniger als Mittel der Formalisierung und Verrechtlichung der Beziehungen zwischen Verwaltung und Bürger - verbunden mit individuellen Entrechtlichungswirkungen - zu sehen, sondern mehr als Instrument zur kommunikativen Ausgestaltung des Verwaltungsverfahrens.

Die kommunikative Ausgestaltung des Verwaltungsverfahrens erfordert, daß der Bürger umfassend über Leistungsvoraussetzungen, Gebots- und Verbotsvorbehalte informiert, auf alternative Leistungsansprüche hingewiesen wird. Kommunikative Verfahrensgestaltung meint auch, daß der Bürger über die Rechtsfolgen eines Tuns oder Unterlassens unterrichtet wird. Schließlich gewährleistet erst eine kommunikative Verfahrenspraxis, daß unterschiedliche, in der individuellen Lebenswelt und Geschichte begründeten Tatbestandselemente, welche beispielsweise für eine Leistungsgewährung relevant sein können, zur Sprache gebracht werden. Funktion des Formulars kann es sein, solche umfassenden Informationsbeziehungen herzustellen, die Verwaltung in die Lage zu versetzen, die Interessen des Bürgers im jeweiligen gesetzlichen Rahmen umfassend wahrzunehmen. Die weitgehende Nichtförmlichkeit des Verwaltungsverfahrens ermöglicht eine solche Verwendung des Formulars, die genannten Grundsätze kommunikativer Verfahrensgestaltung gebieten sie. Die Frage nach der Rechtsnatur und nach den rechtlichen Folgen einer falschen oder unvollständigen Verwendung von Formularen wird bei einer solchen Verwendung von Formularen weitgehend irrelevant. Aufgabe des Formulars ist es so, nicht Reduktion der Komplexität eines Gesetzes, sondern Erweiterung dieser Komplexität in die Lebenswelt vorzunehmen. Überschüssige Informationen sind von der Verwaltung aus Gründen des Datenschutzes zu vernichten. Rechtsstaat und Sozialstaat brauchen nicht im Widerspruch zueinander stehen. Die Funktion des Formulares ist es dann - um an die Eingangsüberlegungen anzuknüpfen - , schlichtes Hilfsmittel für Verwaltung und Bürger zu sein, einen Sachverhalt umfassend zur Sprache zu bringen, um die "richtige" Entscheidung zu ermöglichen - und nicht einen Sachverhalt in die "richtige" Sprache zu bringen mit unter Umständen "falschen" Entscheidungsfolgen.

RECHTLICHE RISIKEN ORGANISATORISCHER AUSWIRKUNGEN DES EDV-EINSATZES IN DER VERWALTUNG

Von Assistenz-Prof. Dr. Hansjürgen Garstka,
Freie Universität Berlin

1. Ausgangspunkt

Daß die Einführung automatischer Datenverarbeitungssysteme mit mehr organisatorischen Veränderungen verbunden ist als die Einführung anderer informationstechnischer Arbeitsmittel, war von Anfang an nicht in Zweifel zu ziehen. So wurden etwa die Fragen der Einbindung neuzuschaffender EDV-Abteilungen seit den ersten Tagen der Automation von Verwaltungsabläufen ebenso diskutiert wie eine den vorgefundenen Bedingungen der EDV-Systeme angeglichene Umorganisation funktioneller Abläufe. Allerdings wurde die Diskussion lange unter der Voraussetzung geführt, daß sich die Veränderungen auf die primäre organisatorische Ebene beschränken würden, die grundlegenden Organisationsstrukturen und -ziele dagegen unangetastet blieben.

Erst in den letzten Jahren macht sich hier ein deutlicher Meinungsumschwung bemerkbar. Die zunehmende Größe der Systeme und Vielfalt der Anwendungsmöglichkeiten, das Vordringen der Mikroprozessor-Technologie und die damit verbundene Verbreiterung des Angebots alternativer Lösungskonzepte führte zunehmend zu Reflexionen über Auswirkungen der automatisierten Datenverarbeitung, die die Zielsetzungen, ja selbst die Substanz der Organisationen selbst tangieren. Betroffen sind Aspekte der grundlegenden Organisationsstruktur (etwa Gewichtung einzelner Organisationseinheiten in vertikaler und horizontaler Hinsicht, Veränderung des Koordinationsgefüges und der Weisungs- bzw. Konfigurationsstrukturen) ebenso wie Art und Umfang der Außenbeziehungen (insbesondere natürlich des Leistungsangebots, aber auch der Art der verwendeten Ressourcen); die Veränderung der Organisationsstrukturen bewirkte Veränderungen im Verhalten von Organisationsmitgliedern und Kunden bzw. Klienten, die ihrerseits nicht ohne Rückwirkungen bleiben konnten.

Im Bereich privater Organisationen kann diese Diskussion relativ vorbehaltlos geführt werden: Unternehmen können selbst auf höchsten Hierarchieebenen Umdefinitionen ihrer Unternehmensziele vornehmen, soweit gleichbleibende oder steigende Gewinnchancen gesichert sind; die Grenzen der Veränderungen werden allenfalls durch die Innovationsbereitschaft der Unternehmensmitglieder oder, was die Außenbeziehungen betrifft, durch den Markt markiert.
Organisationen im öffentlichen Bereich kommt diese Freiheit der Vorgaben nicht zu; sie definieren sich durch die Öffentlichkeit ihrer Aufgabenstellung, die durch die Anbindung an vorgegebene rechtliche Inhalte und Verfahrensweisen charakterisiert ist. Soweit die Aufgabenerfüllung der öffentlichen Verwaltung, der Justiz oder den Gesetzgebungsorganen zugewiesen ist, unterliegen auch die Organisationsformen im einzelnen teilweise weitgehenden rechtlichen Restriktionen.

Selbstverständlich sind auch die rechtlichen Vorgaben veränder-, an informationstechnologische Bedingungen anpaßbar. Langjährige Bestrebungen, Gesetze "automationsgerecht" zu fassen, legen davon Zeugnis ab.

Zu wenig gesehen wurde bisher, daß sich diese Anpassung in einen umfassenderen Rahmen von rechtlichen Grundpositionen einfügen muß. Hierzu zählen Prinzipien, die durchaus mit Auswirkungen von ADV-Anwendungen in Konflikt geraten, umgangen und ausgehöhlt werden können.
Zu diesen essentials unserer öffentlichen Ordnung zählt insbesondere der Standard der bei uns erreichten Rechts-

staatlichkeit. Versteht man darunter nicht nur das legalistische Prinzip der blinden Gesetzestreue, sondern faßt darunter auch die inhaltlichen Kriterien, die dem Recht als sozialer Grundkategorie heute zuzuschreiben sind, so findet auch die Anpassung der Gesetze an angebliche Automationszwänge, viel mehr noch die nicht auf entsprechende Gesetze gestützte Datenverarbeitung hier ihre Grenzen. Im folgenden sollen Argumente dafür angeführt werden, daß Automation die Gefahr des Kommunikationsverlustes in vielen Bereichen birgt, daß aber gerade dieser Verlust eine Senkung des rechtsstaatlichen Standards bedeutet.
Daraus ergibt sich, daß ADV-Anwendungen im Hinblick auf diesen Standard riskant sind, daß sie nur nach einem - um ein in der Umweltschutzdiskussion modisches Wort aufzugreifen - "risk assessment", das offen zu diskutieren wäre, vertretbar sind: Die Ergebnisse dieser Diskussion betreffen in Form systemgestalterischer Postulate auch die Informatik in ihrem Kernbereich.

Diese vorläufigen Thesen möchte ich zunächst an einigen Beispielen erläutern. Ich möchte dabei der von den Praktikern der Verwaltungsautomation gern verwendeten Einteilung der Strukturprinzipien in Ablauf - und Aufbauorganisation folgen.

2. Ablauforganisation

Produkt der öffentlichen Verwaltung sind Verwaltungsentscheidungen. Sie erscheinen unter dem Blickwinkel ihrer Automatisierung als Ergebnis einer Handlungssequenz, die sich als Folge von Datenverarbeitungsprozessen darstellen läßt, detaillierter als Abfolge von input-, throughput- und output-Vorgängen. Alle drei Phasen weisen unter der hier behandelten Fragestellung Probleme auf.

a) Input

Traditionellerweise verschafft sich die öffentliche Verwaltung die von ihr benötigten Daten durch Befragung der betroffenen Klienten, also derjenigen, deren Verhaltensweisen vom Entscheidungsergebnis betroffen sind. Die Befragung wird von derjenigen Verwaltungsstelle vorgenommen,der letztlich auch die Auswahl unter den Entscheidungsalternativen zukommt. Die Kommunikationssituation läßt Rückfragen, abstrakt gesprochen Iterierung der input-Vorgänge, zu, die die "Entscheidungssituation" schrittweise zu präzisieren, auch zu modifizieren erlaubt. Auch die in manchen Verwaltungszweigen notwendige, vom Betroffenen unabhängige Beobachtung (etwa im Sicherheitsbereich) bleibt situativ.

Seit der Verfügbarkeit hinreichend großer und schneller Direktzugriffsspeicher werden die Verantwortlichen sämtlicher Verwaltungszweige von dem Gedanken beflügelt, die für den Bürger vorgeblich hinderliche situative Datenerfassung durch die Zugriffsmöglichkeit auf automatisierte Informationssysteme zu unterstützen, tendenziell zu ersetzen. Unter dem Schlagwort "Integration" sollte dieser Übergang der situativen Datenerfassung zum situationsunabhängigen Datenabruf nicht in den einzelnen Organisationsbereichen der öffentlichen Verwaltung je für sich, sondern zentral an einer speziell für die Datenverwaltung zuständigen Stelle vollzogen werden. Der damit verbundene Pragmatikverlust der Datenerfassung ist nicht nur mit den (nunmehr kaum mehr kontrollierbaren Risiken) falscher, unvollständiger, verkürzter, nicht repräsentativer Daten behaftet; sie tangiert auch mehrere, gerade im Rahmen unserer Verfassungsrechtsprechung entwickelte, dem Rechtsstaat zuzuordnende

Rechtsprinzipien: das Verbot der Verobjektivierung des Menschen; die Verpflichtung, die freie Entfaltung der Persönlichkeit- und damit auch die Selbstbestimmung über die eigenen Informationen - nicht nur zu garantieren, sondern auch zu fördern; die Meinungsfreiheit auch in ihrer negativen Komponente zu beachten. Der Hinweis auf die inzwischen geschaffenen Datenschutzgesetze reicht hier bei einer Risikoabwägung nicht hin: Sie setzen mit Hilfe einer ausgeklügelten Generalklauseltechnik eine solche Abwägung gerade voraus, etwa mit Hilfe des Hinweises auf die "rechtmäßige" Aufgabenerfüllung oder die zu vermeidende Beeinträchtigung "schutzwürdiger" Belange.

b) Throughput

Der Loslösung des inputs von der situativen Erfassung beim Verwaltungsklienten entspricht die Loslösung der Entscheidungsprogrammierung vom Sachbearbeiter bei der Verarbeitung der Daten im engeren Sinne. Hatte dieser nach der bisherigen Ausgestaltung der Verwaltungsabläufe Entscheidungsspielräume, die ihm - zugegebenermaßen beschränkt durch vielerlei Verwaltungsvorschriften - das Gesetz läßt, so bringt der EDV-Einsatz eine mehrfache Separierung mit sich: Die Entscheidungsprogrammierung wird zentral vorgenommen, ohne daß der Sachbearbeiter beim Entwurf entscheidenden Einfluß hätte; Gesetzes- und Vollzugsmängel, die sich erst beim Umgang mit dem Gesetz selbst ergeben könnten, werden kaum oder gar nicht mehr entdeckt, entsprechende Erfahrungen nicht in die Programmierung eingebracht; eine nachträgliche Korrektur ist mühsam und wird nach Möglichkeit verhindert; der Zwang, manuelle Zwischenschritte zu beseitigen, sie allenfalls, vom übrigen Verfahren isoliert, nach vorne zu ziehen, erschwert die Berücksichtigung individueller Beurteilungsspielräume, wenn sie nicht gar, obwohl vom Gesetzgeber gewollt, negiert werden. Dies hat Konsequenzen bei der programmgemäßen Entscheidungsproduktion selbst: iterative Kontrollvorgänge, denen auch der wertungsfähige Sachverstand der Verwaltungsagenten zu Grunde liegen könnte, entfallen. Diese Entwicklung, hier bewußt etwas kraß geschildert,birgt tendenziell die Gefahr des Abbaus der sog. "Einzelfallgerechtigkeit" mit sich, seit Aristoteles' Forderung nach einer gesetzeskorrigierenden "Billigkeit" Grundbestand vernünftigen Rechts.

c) Output

Stark betroffen von den Folgen der EDV-bedingten Änderungen ist auch der output, insbesondere was die Aussagekraft der mitgeteilten Entscheidungsergebnisse betrifft. Bis zur Einführung von EDV-Systemen waren Zuordenbarkeit zu einem persönlichen Verantwortungsträger (statt einer anonymen Behörde) oder Begründungspflicht von Verwaltungsakten als Errungenschaften rechtsstaatlichen Verwaltungshandelns betrachtet worden. Im Prinzip ist dies auch in den neuen, auf die Festschreibung dieses Standards orientierten Verwaltungsverfahrensgesetzen anerkannt worden. Nichtsdestoweniger war zunächst die Verwaltungspraxis bereit, auf beide Anforderungen dann zu verzichten, wenn die Verwaltungsentscheidung per EDV-Ausdruck mitgeteilt wurde: Wegfall der Unterschrift (was sich in der Tat unter Rationalitätsgesichtspunkten begründen läßt, wenn auch heute im Bankwesen durchaus Geräte eingesetzt werden, die Faksimileunterschriften leisten können), Wegfall der Namensnennung eines Sachbearbeiters (was bereits die Kontrolle und den Nachvollzug der Entscheidung erschwert), ja Wegfall der Behördennennung (so etwa geschehen bei

Rundfunkgebührenbescheiden). Auch auf die Begründung verzichtet man angeblich aus EDV-Erfordernissen; allenfalls gibt man sich pauschal mit dem Abdruck des Gesetzestextes zufrieden (so etwa im Rentenversicherungsbereich, wenn die Gewährung von Erwerbsunfähigkeitsrenten mit dem Hinweis auf den Wortlaut der Reichsversicherungsordnung abgelehnt wird, nicht mit dem Versuch, auf das individuelle Leiden des Antragstellers einzugehen).

Die Rechtsprechung - an dieser Stelle sei mir ein etwas ausführlicherer juristischer Exkurs gestattet - hat diese offensichtliche Diskrepanz zwischen Rechtsstaatsanspruch und EDV-Vollzug souverän zu Gunsten unreflektierter EDV-Praxis bewältigt - kritische Stimmen in der Literatur zu diesem Problem ebenso souverän negierend:

So beurteilte das Bundesverwaltungsgericht die Frage, ob ein Bundeswehr-Einberufungsbescheid gültig ist, der nicht mit dem Namen eines Sachbearbeiters versehen ist, mit Gelassenheit. Es lohnt sich, aus der Begründung zu zitieren: Soweit überhaupt nur "der Inhalt des Bescheids schriftlich niedergelegt und eindeutig zu erkennen ist" und eine Behörde überhaupt erkennbar sei, sei der Bescheid gültig. Die Argumentation gipfelt in dem Argument, der Bescheid enthalte ja den Vermerk, "er sei mit Hilfe einer elektronischen Datenverarbeitungsanlage gefertigt". Dem Bürger wird unterstellt, er sei "sich bewußt, in der Verwaltung aus Rationalisierungsgründen immer häufiger auf den Einsatz elektronischer Datenverarbeitungsanlagen zur Herstellung von Bescheiden zu stoßen." "In einem derartigen Fall erwartet er in der Regel keine Unterschrift"[1). Die Entscheidung hatte Folgen: Da nun die

---

1) BVerwG 45, 189 ff; Anm. v. Mutius in: Verwaltungsarchiv 1976, 116-124

Praxis - zumindest vorläufig - abgesichert war, konnten die Verwaltungsverfahrensgesetze, ohne höchstrichterliche Bedenken fürchten zu müssen, entsprechend gefaßt werden.

Es lassen sich weitere Beispiele für output-Deformationen finden: die Schwierigkeiten des Bürgers Helmut Schmidt aus Hamburg mit seiner Wasserrechnung etwa geben nur bei oberflächlicher Betrachtung eine humorige Pointe ab, bei näherer Betrachtung decken auch sie Defizite von Systemgestaltungen auf, die auf einer Minderbewertung oder gar Negierung der Klienteninteressen beruhen.

3. Aufbauorganisation

Die Veränderungen in der Aufbauorganisation sind, da mit mächtigeren Interessenpositionen verknüpft, häufiger diskutiert worden: In erster Linie die Problematik der zentralisierenden Wirkungen von Verwaltungsinformationssystemen, die sich sowohl in horizontaler als auch vertikaler Richtung nachweisen lassen: Innerhalb der gleichen Geschäftsbereiche ziehen Stellen mit zentralen Funktionen immer mehr Kompetenzen an sich; die Auseinandersetzungen in der Organisationstheorie der frühen siebziger Jahre, ob das mittlere Management durch den EDV-Einsatz eine Höher- oder eine Minderqualifizierung erfährt, hat jedenfalls für die öffentliche Verwaltung eine relativ eindeutige Antwort erfahren: nämlich in Richtung Minderqualifizierung. Die dadurch entstehenden Frustrationen gesellen sich zu den funktionalen Verschiebungen; der formal noch aufrecht erhaltenen Verantwortlichkeit der Sachbearbeiter nach außen entspricht Hilflosigkeit gegenüber dem Verfahrensablauf im inneren.

Diese Entwicklung läßt sich auf das Verhältnis rechtlich autonomer Entscheidungsträger gegenüber staatlichen Stellen übertragen. (Der Kampf um den Einfluß der Kommunen auf die Datenverarbeitung hat ja jüngst erst die Gerichte beschäftigt)[2]. Fest steht, daß auch hier eigenständige Gestaltung von Verfahrensabläufen zurückgedrängt wird zugunsten einer vorgeblich durch die technischen Gegebenheiten erzwungenen Vereinheitlichung; dieser Prozeß setzt sich selbst dann fort, wenn die kleineren Einheiten bereits eigene EDV betrieben haben und ihre mitunter durchaus besseren Systeme einer sog. "großen Lösung" opfern müssen. Hier liegt der Kern von Mutmaßungen über die Gefährdung der unseren Staat konstituierenden Gewaltenteilung: Die Verweisung der Parlamente auf die Systeme der Regierung (wobei die Rechtmäßigkeit des Zugriffs selbstredend von letzteren geprüft wird), der mögliche Einfluß der Justizverwaltung auf das richterliche Entscheidungsverhalten über die Steuerung juristischer Dokumentationssysteme erscheinen unter dem gleichen Aspekt des (verfassungsmäßig zugesicherten) Autonomieverlustes als riskant im hier angezogenen Sinne.

4. Folgerungen

Mir scheint es möglich, alle diese einzelnen Erscheinungen auf einer relativ abstrakten, meines Erachtens aber dennoch aussagekräftigen Ebene unter einem Aspekt zu betrachten: Sie zeichnen sich alle durch einen Kommunikationsverlust einerseits, durch eine parallel laufende Ausweitung der heteronomen Steuerung von Verfahrensabläufen andererseits aus[3].

---

2) NRWVerfG NJW 79, 1201 f.
3) wobei hier unter Kommunikation der personal u.situativ vermittelte Informationsaustausch verstanden werden soll

Der Ersetzung kommunikativer Abfrage und Entscheidungsmitteilung entspricht die zunehmende Vorgabe pauschaler Abläufe, dem Verlust der Kennzeichnung von Verantwortlichkeiten die Zentralisierung der Entscheidungsfindung.

Die Frage nach dem rechtlichen Risiko dieser Entwicklung ist damit die Frage danach, inwieweit das Ausmaß der Rechtsstaatlichkeit in einem politisch-gesellschaftlichen System abhängt vom Kommunikationsniveau der das System tragenden Organe mit ihren Klienten ebenso wie der dem Organ zuzuordnenden Organisationsmitglieder untereinander. Mir scheint es der verfassungspolitischen Diskussion der letzten Jahrzehnte zu entsprechen, diese Abhängigkeit sehr hoch zu veranschlagen, und damit Kommunikationsverlust als Niveauverlust zu interpretieren.

Welche Konsequenzen ergeben sich damit nun für eine angewandte Informatik im Bereich des Rechts und der Verwaltung, der jedenfalls nach meinem Verständnis nicht nur der analytische Aufweis von Anwendungsdefiziten, sondern auch Vorgabe von Entwicklungsimpulsen obliegt?

Auf keinen Fall, dies vorweggeschickt, eine Reduzierung oder Verhinderung möglicher ADV-Anwendungen. Mir scheint die Erkenntnis trivial, daß technischer Fortschritt, soweit er die Einsparung nicht-kreativer Arbeit ermöglicht, weder verhindert werden soll noch verhindert werden kann.

Vielmehr scheint es mir nötig, die gewonnenen Ergebnisse in die Systemgestaltung einzubringen. Das Postulat der Aufrechterhaltung des Kommunikationsniveaus, das sich aus dem oben gesagten ergibt, setzt dabei allerdings voraus, daß die Ergebnisse nicht isoliert an der Leistung des technischen Geräts, sondern an dem Zusammenspiel der personalen und technischen Systemkomponenten gemessen wird; hierzu zählen die Organisationsmitglieder der Verwaltungsorganisation ebenso wie ihre Klienten.

Nahezu notwendig ergibt sich aus dieser Sichtweise, daß dezentrale Systeme wegen der zumindest partiellen Systembeherrschung durch die miteinander agierenden Personen zentralen Lösungen vorzuziehen sind; dies deckt sich mit Ergebnissen der Diskussion über verteilte Systeme, die in den letzten Jahren geführt worden sind.

Mit einer entsprechenden Umorientierung der Maschinenausstattung ist es jedoch nicht getan:Hinzu kommen muß eine wieder gesteigerte Bereitschaft, auch bei computerunterstützter Entscheidung die Kommunikation über Entscheidungsvoraussetzungen und -ergebnisse nicht auszuklammern; ein Ansatzpunkt hierfür wäre eine intensivere Forschung über die Verständlichkeit von Verwaltungstexten im allgemeinen, von formalisierten Texten im besonderen. Entsprechende Forschungsansätze, in den fünfziger Jahren in den USA verbreitet, sind bislang jedenfalls nicht intensiv genug weitergeführt worden. Surrogate für die unmittelbare Kommunikation mit dem Entscheidungsträger etwa in Form von Informationsstellen - wie in manchen Rathäusern derzeit erprobt - könnten die verbleibenden Defizite aufarbeiten.

Ergänzend scheint die Rückbesinnung auf die Grenzen zwischen autonomen Entscheidungsträgern nötig; hier liefert die Datenschutzdiskussion der letzten Jahre viele Ansatzpunkte. Auch die oft - meines Erachtens nicht immer zu recht - kritisierten Datenschutzgesetze stellen ja im wesentlichen auf solche Autonomiegrenzen ab, wenn auch hier eine umfassende Ausarbeitung noch aussteht: Anfänge sind in Reformkonzepten etwa zum polizeilichen oder zum medizinischen Bereich erfreulicherweise schon geleistet. Gerade die Abgrenzung der autonomen Systeme voneinander bei der gleichzeitig nicht preisgegebenen Möglichkeit, im geprüften Einzelfall die Grenzen unter Wahrung rechtsstaatlicher Kriterien zu überschreiten, fordert diejenigen heraus, in deren Händen der Entwurf von Betriebssystemen liegt: Ergänzend wären Forschungen nötig, wie man der Autonomie einzelner Entscheidungsträger durch mehr Einflußmöglichkeiten auf das Systemkonzept selbst entgegenkommen könnte.

Es bleibt - und dies scheint mir im Rahmen einer Rechts- und Verwaltungsinformatik unverzichtbar - auch juristische Interpretationsleistungen zu erbringen, die das Recht nicht nur einem automationsgeneigten, sondern "automationsgerechten" Zustand zuführen. Daß auch hier noch immer Defizite aufzuholen sind, zeigt die langwierige Debatte um die Datenschutzgesetze; dabei steht eine Diskussion bei uns noch aus, die in den USA bereits geführt wurde und noch geführt wird: Inwieweit nicht auch der Zugang zu und die Transparenz von Informationssystemen allen interessierten Bürgern ermöglicht werden muß - etwa durch die Schaffung eines deutschen "freedom of information"-Gesetzes. Erst so schiene mir eine demokratische Kontrolle rechtlicher Risiken im Bereich der öffentlichen Verwaltung sicher gewährleistet.

PROBLEME DER AUTOMATION IM GERICHTLICHEN MAHNVERFAHREN

Von Prof. Diether Huhn, Fachhochschule für Verwaltung und Rechtspflege, Vors. Richter am Landgericht, Berlin

Mein Problem ist der Plural. Ich soll über Probleme der Automation im gerichtlichen Mahnverfahren sprechen. Ich habe aber zunächst nur ein einziges Problem. Das Problem der Automation im Mahnverfahren ist die Automation.

Diesen Satz halten Sie vielleicht für Wortspielerei, der Gesetzgeber allerdings ist anderer Ansicht. Mit der Vereinfachungsnovelle zur ZPO[1)] hat er den gegenteiligen Satz aufgestellt: Das Problem der Automation im Mahnverfahren, hat er gesagt, ist das Mahnverfahren. Durch die normierten §§ 688 bis 703 d ZPO hat er deshalb das gerichtliche Mahnverfahren zum Zwecke der Einführung von ADV umgestaltet.

Ich will prüfen, welche Gründe der Gesetzgeber hat, anderer Ansicht zu sein als ich. Ich werde zum Ergebnis kommen, daß er überzeugende Gründe für die Einführung von ADV ins Mahnverfahren, für die geschehenen wesentlichen Umgestaltungen dieses Verfahrens zum Zwecke seiner Automatisierung jedenfalls bisher nicht angegeben hat. Ich erörtere das natürlich nicht, weil ich mit dem Gesetzgeber über seine Gründe rechten will, sondern weil diese Unklarheiten in den Gründen praktische Konsequenzen haben. Erst im Anschluß an meine Ausführungen dazu werde ich dann doch versuchen, die Problematik in die

---

1) Gesetz zur Vereinfachung und Beschleunigung gerichtlicher Verfahren (Vereinfachungsnovelle) v. 3.Dez. 1976, BGBI I 3281

Mehrzahl zu erheben und über einige der Probleme zu sprechen, die das automationsgerechte Mahnverfahren für die tägliche Gerichtspraxis unterdessen aufwirft.

Ich gehe aus von jener Untersuchung, die für die Automatisierung des gerichtlichen Mahnverfahrens eine gewisse, auch politologisch zu würdigende Pilot-Funktion erfüllt hat. Diese Untersuchung ist das sogenannte Soll-Konzept Automation des Mahnverfahrens[2]. Es handelt sich dabei um eine Untersuchung, die in ihrer Methode und in ihrem Verfahren wissenschaftlichen Ansprüchen genügt. Trotzdem ist es falsch, auch Bedeutung und Folgen dieser Untersuchung wissenschaftlich oder ausschließlich wissenschaftlich zu nennen. Es handelt sich nämlich - vielleicht kann man sagen: - um eine Untersuchung aus integrierter Wissenschaft. Mit dem Begriff der integrierten Wissenschaft bezeichne ich nicht eine Wissenschaftsausübung, die sich lediglich als Bestätigung vorgefundener Ergebnisse versteht, denn eine solche Ausführungszeichen-Wissenschaft ist keine Wissenschaft. Integrierte Wissenschaft soll vielmehr diejenige Wissenschaftsausübung heißen, die nach ihrem organisatorischen Ausgangspunkt jedenfalls die Gefahr erzeugt, daß politische Verantwortung sich durch sie ersetzt glaubt.

Ende der 60er Jahre hat eine jener in der Verfassung nicht vorgesehenen und von der Staatsministerin Hamm-Brücher deshalb verfassungswidrig genannten Landesministerkonferenzen, die Konferenz der Justizminister und

2) Justizministerium Baden-Württemberg(Hrsg.):Soll-Konzept Automation des Mahnverfahrens,Bericht und Dokumentation; Berlin (J.Schweitzer) 1974 (= Arbeitspapiere Rechtsinformatik Heft 10)

Justizsenatoren, die ADV sozusagen entdeckt. Sie hat verhältnismäßig kurz und natürlich verhältnismäßig allgemein über die Frage diskutiert und ist dann zu einem Ergebnis gekommen, das eigentlich noch kein Ergebnis war, daß die ADV der Justiz möglicherweise nützen könne. Solche Ergebnisse, ich nenne sie Anführungszeichen-Ergebnisse, sind in der politischen Diskussion nicht selten. Sie führen meistens, so auch hier, zur Einsetzung von Kommissionen. Die Justizministerkonferenz bildete also eine Bund-Länder-Kommission für Datenverarbeitung in der Justiz, und diese Kommission wiederum erteilte verschiedene Aufgaben an andere: So erhielt die Landesjustizverwaltung Baden-Württemberg den Auftrag, die Anwendungsmöglichkeiten der ADV im gerichtlichen Mahnverfahren zu überprüfen. Die Landesjustizverwaltung Baden-Württemberg setzte ihrerseits eine Kommission ein. Diese Kommission legte die Untersuchung ihrem unmittelbaren Auftraggeber, dem Justizminister von Baden-Württemberg vor. Der damalige Minister - er ruht unterdessen im Schatten der Ewigkeit - steuerte zu der Untersuchung ein Vorwort bei. Daraus zitiere ich die folgende Passage:[3)]

"Dieses einfache Verfahren (gemeint ist das Mahnverfahren), das dem Gläubiger eines unstreitigen Anspruchs schnell und bequem zu einem vollstreckbaren Titel verhilft, spielt in der Praxis eine große Rolle: in Mahnsachen fielen 1971 im Bundesgebiet 4.258.381 Verfahren an; in Baden-Württemberg waren es im gleichen Jahre 596.838, 1972 sogar 647.315 Verfahren. Bei diesem Geschäftsanfall, der in allen Bundesländern ständig steigt, durfte nicht länger gezögert werden, Rationalisierungsmöglichkeiten mit Hilfe der Elektronischen Datenverarbeitung zu untersuchen."

3) a.a.O., (Anm. 2), S. I

Das Soll-Konzept Automation des Mahnverfahrens ist also allein durch die Tatsache veranlaßt, daß Jahr für Jahr bei den deutschen Gerichten sehr viele Mahnverfahren anhängig werden. Diese Zahlen wären aber ein Argument für die Themenverbindung Mahnverfahren-Automation nur unter bestimmten, von jenem Minister seinerzeit nicht ausgesprochenen Annahmen. Diese Annahmen sind:

1. Es werden derzeit Jahr für Jahr so viele Mahnverfahren anhängig, daß sie mit der bisher gebräuchlichen sog. manuellen Methode, also allein durch Menschen, Stempel und Schreibmaschine nicht mehr ordnungsgemäß zu bearbeiten sind, oder:

2. es werden in Zukunft immer mehr Mahnverfahren anhängig werden. Schließlich werden es so viele sein, daß sie nicht mehr ordnungsgemäß bearbeitet werden können.

Beide Annahmen für die Verbindung von Mahnverfahren und Automation sind vom Gesetzgeber nicht erhärtet.

Man kann freilich aus einigen Statistiken Schlüsse zu ziehen versuchen. 1959 hatten die Gerichte der Bundesrepublik rund 3,6 Millionen Mahngesuche zu bearbeiten, 1971 waren es rund 4,2 Millionen. Die Zahlen für Baden-Württemberg, auf die im wesentlichen sich jenes Soll-Konzept stützt, betragen für 1968 rund 583.000, für 1972 rund 647.000, 1969 waren die Zahlen gegenüber 1968 gefallen und 1971 gegenüber 1970 um nur rund 1,8% gestiegen; beim Amtsgericht Stuttgart - um das einzige Beispiel eines Großstadtgerichtes anzuführen, das jene Untersuchung zugrunde legt - waren im Jahre 1961 rund 107.000 Mahnverfahren anhängig geworden, 1972 rund 45.000 Verfahren mehr, in den Jahren 1963, 1965, 1968 und 1969 waren die Eingänge gegenüber dem Vorjahr zurückgegangen. Verläßliche Angaben zum Bundesdurchschnitt gibt es im übrigen erst seit 1970, für 1968 fehlen die

Zahlen aus Schleswig-Holstein, Niedersachsen, Rheinland-Pfalz und dem Saarland, für 1969 fehlen sie noch für Niedersachsen. Der Zuwachs an Mahnverfahren vom Jahre 1971 betrug 1,35%, eine Steigerung von 4.2o1.667 auf 4.258.381 Verfahren[4].

Dieses Zahlenwerk drängt an sich schon nicht zu sehr dramatischen Schlüssen. Unterdessen vernimmt man aber aus der Praxis sogar gegenteilige Einschätzungen. So hat der Direktor eines der großen Mahngerichte der Bundesrepublik, des Amtsgerichtes München - 4oo.ooo Mahnverfahren im Jahre 1978 - , kürzlich mitgeteilt, daß bei diesem Gericht jedenfalls seit 1977 kein nennenswerter Anstieg der Geschäftszahlen mehr festzustellen sei[5].

Selbst wenn man aber die Steigerungsraten zu Anfang und gegen die Mitte der 7oer Jahre zugrunde legt, fällt es schwer, aus diesen Zahlen allein ein Automationserfordernis abzuleiten. Setzt man die Zahl der Mahnverfahren mit der Entwicklung der Bevölkerung in Beziehung, dann ergibt sich bereits für die frühen 7oer Jahre, daß in diesem Verhältnis die Zahl der Mahnverfahren sinkt. Rechnet man aus, wieviele Mahnverfahren pro Kopf der Bevölkerung anhängig werden, so lautet die Zahl für Baden-Württemberg und für 1968: o,o68, für 1969: o,o62, für 1971: o,o66 usw. Im Bundesdurchschnitt - soweit dieser wegen der Unvollständigkeit des Zahlenmaterials in früheren Jahren als 197o zu errechnen ist - lauten die Werte: 1969: o,o77, 197o: o,o69, 1975: o,o62.

4) Vgl. Soll-Konzept (Anm.2),Teil II: Dokumentation, Stichwort: Geschäftsanfall

5) H. Schlemmer, Aktuelle Grundsatzfragen des neuen Mahnverfahrens, Rpfleger 1978, S. 2o1

Ich will und kann diesen Werten keine besonders weitreichende Bedeutung beimessen. Eine für den Gesetzgeber verwendbare zuverlässige Prognose über die Entwicklung des gerichtlichen Mahnwesens müßte wohl vor allem eine Relation des Geschäftsanfalles zur Wirtschaftsentwicklung herstellen. Sicherlich ist es für die Ökonometrie keine unlösbare Aufgabe, die Erfahrungsurteile der Gerichtspraktiker über die Abhängigkeit des Geschäftsanfalles von der Wirtschaftsentwicklung mit prospektiven Zahlen zu belegen. Aber bisher gibt es diese Zahlen nicht.

Ich habe vorhin zwei Annahmen skizziert, unter denen die Diskussion um die Automatisierung des Mahnverfahrens jedenfalls nicht von vorneherein auf der falschen Grundlage erfolgt. Eine von ihnen, verkürzt gekennzeichnet als: "Die Notwendigkeiten der Zukunft", habe ich eben als jedenfalls nicht erwiesen bezeichnet. Widerlegt habe ich sie nicht (wie zur Klarstellung ausdrücklich festgehalten werden soll). Die andere Voraussetzung formulierte ich vorhin so: Es werden vielleicht Jahr für Jahr so viele Mahnverfahren anhängig, daß sie mit der gebräuchlichen sogenannten manuellen Methode nicht mehr ordnungsgemäß zu bearbeiten sind.

Das Verhältnis der im Mahnverfahren erledigten bürgerlich-rechtlichen Ansprüche zu denen, die im ordentlichen Prozeßverfahren abgehandelt werden, ist seit Jahrzehnten zwar langsam, aber stetig gestiegen. Wir besitzen keine vollkommen zuverlässigen Erhebungen dazu, aber oberflächlich schätzend können wir sagen, daß heute etwa 87 bis 89% aller den Gerichten unterbreiteten zivilistischen Ansprüche im Mahnverfahren beschieden werden. Rund 9o bis 91 % der Mahngesuche erreichen den Zweck, den der Gläubiger vernünftigerweise an das Gesuch knüpfen kann[6]. Das sind Schätzungen aus dem Jahre 1976, aber es gibt keine Anhaltspunkte dafür, daß die Zahlen für das Jahr 1979 erheblich anders ausfallen. Sie zeigten schon zu Anfang der 6oer Jahre fast dasselbe Bild.

Daraus (und aus den entsprechenden Zahlen für die Verfahren der Freiwilligen Gerichtsbarkeit) folgt nebenbei bemerkt, daß das Bild der Justiz gegenüber der Mehrzahl der mit ihr in Berührung kommenden Bürger von Rechtspflegern geprägt wird und daß also die in Deutschland herrschende Rechtswissenschaft, einschließlich der Rechtssoziologie und anderer sozialwissenschaftlicher Justizversuche, sich in ihrer überwiegenden Hinwendung zum richterlichen Entscheidungsverhalten und ihrer überwiegenden Bezugnahme auf die richterlichen Justizhervorbringungen, zumal der höheren Instanzen, auf ein zu enges Problemfeld und auf vielfach nicht repräsentatives Quellenmaterial bezieht. Aber das ist hier nicht mein Thema.

Rund 9o bis 91 % der Mahngesuche, sagte ich eben, erreichen den vom Gläubiger erstrebten Zweck. An diese Tatsache hat 1963 ein erfahrener und verdienter, aus dem Rechtspflegerstande stammender Praktiker des Mahnverfahrens die Folgerung geknüpft[7]: das Mahnverfahren erfüllt seinen Zweck, es gibt nichts an ihm zu ändern. Das war eine etwas voreilige Folgerung. Meine Skepsis gegenüber der Praxis des Mahnverfahrens belege ich mit folgenden Zahlen:

---

6) Vgl. D. Huhn, Das Mahnverfahren als Anwendungsbereich der automatisierten Datenverarbeitung in der Justiz, in: Bürgerdaten oder Datenbürger, Probleme der Datenverarbeitung in Verwaltung und Recht, Veröffentlichungen der Fachhochschule f. Verwaltung und Rechtspflege, Band 5, Berlin 1976, S. 173.

Die Untersuchung, aus der ich hier fortgesetzt zitiere, hat festgestellt, daß 7,o5 % aller Zahlungsbefehlsanträge (jetzt Mahngesuche) von den Rechtspflegern beanstandet worden sind, daß aber 13,53 % hätten beanstandet werden müssen. In absoluten Zahlen ausgedrückt bedeutet das möglicherweise - ich sage: möglicherweise -, daß im Jahresdurchschnitt rund 27o.ooo Zahlungsbefehlsgesuche (Mahngesuche) zu gerichtlichen Zahlungsbefehlen (Mahnbescheiden) und rund 2oo.ooo gar zu gerichtlichen Vollstreckungsbefehlen (Vollstreckungsbescheiden) führen, obwohl die gesetzlichen Voraussetzungen nicht vorliegen.

Was wir nun wissen müßten, aber nicht verläßlich wissen, ist: wieviele dieser fehlerhaft erlassenen Vollstreckungsbescheide endgültig fehlerhaft bleiben und welche dieser Fehler schließlich auf eine unberechtigte Verurteilung des Schuldners hinauslaufen. Vielleicht ist das Gesamtergebnis nicht so furchtbar besorgniserregend. Ich hoffe es jedenfalls. Aber ich finde es doch nötig, mindestens als Fragestellung diesen Zahlen über das Mahnverfahren ein ganz anderes sozialwissenschaftliches Erhebungsergebnis gegenüberzustellen.

55 % unserer Bevölkerung werden von der Soziologie als Angehörige der Unterschicht eingestuft. In dieser Schicht ist nach der Untersuchung,auf die ich mich hier stütze[8], die Achtung vor dem Gericht und das Vertrauen in die Richtigkeit seiner Ergebnisse auf bemerkensweise höher als bei Mittelschicht und Oberschicht. Außerdem müssen wir davon ausgehen, daß bei Angehörigen dieser

---

7) W. Berner, Zur Reform unseres Mahnverfahrens, Rpfleger 1963, S. 221 ff

8) Mitgeteilt bei: Th. Rasehorn, Recht und Klassen. Zur Klassenjustiz in der Bundesrepublik. Darmstadt-Neuwied (Luchterhand) 1974.

Schicht Fähigkeit und Neigung, sich mit schriftlichen Gerichtserzeugnissen auseinanderzusetzen, geringer ist als bei der besser verdienenden und besser ausgebildeten Minderheit der Bevölkerung. 65% dieser Bevölkerungsgruppe äußerte jedenfalls bei einer Repräsentativbefragung den Wunsch, nur mündlich mit dem Gericht in Kontakt treten zu müssen.

Uns fehlt bisher eine Statistik, die genaue Aussagen über die soziologische Zusammensetzung der Schuldner von Mahngesuchen bietet. Jene baden-württembergische Untersuchung enthält nur eine allerdings ebenfalls nur sehr grobe soziologische Gruppierung der Gläubiger von solchen Verfahren[9]. Sie unterscheidet hier, weil sie eben an die Möglichkeiten der Automation denkt, zwischen überregional tätigen Gläubigern, sonstigen Handelsfirmen und Betrieben, Einzelgewerbetreibenden und - in der Terminologie recht bezeichnend - "Privatgläubigern", als ob nicht alle Gläubiger in Mahnverfahren Privatgläubiger wären, auch die regionalen und überregionalen Handelsgesellschaften. Aber eine ausreichende Schuldnerstatistik fehlt völlig.

Ich fasse diesen Umstand in dem Satz zusammen: Auch die bisher umfangreichste Untersuchung über die Automation des Mahnverfahrens hat eine soziale Lücke. Sie bietet kein belegtes Faktum gegen die Befürchtung, daß das Mahnverfahren bereits durch seine bisherige Schriftlichkeit in besonderem Maße diejenige Bevölkerungsgruppe benachteiligt, die die Mehrheit der Gesamtbevölkerung

9) Vgl. Anm. 4, Stichwort: Gläubiger. Über Schuldner wird dort zwar mitgeteilt, daß 95,59% "natürliche Personen/Einzelfirmen" seien, die gerade wesentliche Aufgliederung dieser - man kann kaum noch sagen: - Gruppe unterblieb indessen.

ausmacht und die ohnehin durch die Bürokratisierung unseres gesamten öffentlichen Lebens am meisten, ich will gar nicht sagen: benachteiligt, aber doch an der selbstgestaltenden Rechts- und Anspruchsverwirklichung gehindert ist. Wenn ich politische Verantwortung zu tragen hätte, würde ich über die Automation des Mahnverfahrens nicht weiter nachdenken, ehe nicht diese soziale Lücke geschlossen ist.

Jede technologisch vertretbare Automation des Mahnverfahrens bedeutet nämlich jedenfalls zweierlei:

- es müssen zentrale, sehr große, weit vom Bürger entfernte Mahngerichte eingeführt werden,
  und
- es müssen bisher nicht bestehende Formerfordernisse ins Mahnverfahren eingeführt, Schematisierungen zwingend durch Gesetzesänderungen verlangt werden.

In dieser Einschätzung, die andere und ich schon lange vor der Vereinfachungsnovelle geäußert haben, hat uns der Gesetzgeber mit dem § 689 Abs. 3 - Zentrales Mahngericht - und 703 c - Einführung von Vordrucken - bestätigt[1o)]. Es mußte also zum Zwecke der Automatisierung des gerichtlichen Mahnverfahrens genau das geschehen, was die Mehrheit der Bevölkerung nicht will. Gegen große und für kleinere und örtlich dem Bürger nähere Gerichte hat sich die übergroße Mehrheit der Bevölkerung aus allen Schichten ausgesprochen: 88% der Unterschicht -, 82% der Mittelschicht -, und immerhin noch 79% der Oberschicht-Angehörigen. In seinem Buch "Recht und Klassen" hat Theo Rasehorn[11)] für die früher gebräuchlichen, wenn auch gesetzlich nicht vorgeschriebenen Zahlungsbefehls-

1o) Vgl. Anm. 6, S. 176
11) Vgl. Anm. 8

formulare festgestellt, daß sie für die Mehrheit der Bevölkerung unverständlich seien. Er hat dann einen Vorschlag für ein Formular für den Zahnlungsbefehl (das Mahngesuch) gemacht, von dem er Verständlichkeit bei jedermann erhofft. Natürlich ist das ein Formular, das vollkommen automationsungeeignet ist. Die Vereinfachungsnovelle hat mit § 703c ZPO auch für das sog. manuelle Mahnverfahren neuen Formularen den Weg gebahnt. Man behauptet, daß sie besser, d.h. auch für Nicht-Juristen, auch für Unterschichtangehörige, verständlicher seien als die früher verwendeten, nicht gesetzlich vorgeschriebenen Formulare.
Für den Juristen spricht manches dafür, das zu glauben. Aber auf den Glauben bleiben wir angewiesen. Es gibt bisher keine wissenschaftlich vertretbare Wirkungsanalyse des neuen Formular-Mahnverfahrens.
Warum veranlaßt man sie nicht?

Noch wird das automatisierte Mahnverfahren mit seinen neuerlichen Formularen in Deutschland nicht als das Regelverfahren praktiziert. Praktiziert wird aber - wie gesagt - dasjenige Mahnverfahrensrecht, das nach Meinung des Gesetzgebers erforderlich war, um die Voraussetzungen für die Automatisierung des Verfahrens zu schaffen. Ich hoffe, Sie akzeptieren es, daß ich jetzt über einige der Probleme spreche, die dieses automationsfördernde oder angeblich automationsgeforderte Recht der Praxis gegenwärtig bietet.

Das erste dieser Probleme wird bezeichnet mit dem Wort: Wegfall der Schlüssigkeitsprüfung. Ich muß das hier in seiner juristischen Bedeutung nicht näher erläutern. Der geltend gemachte Anspruch muß jedenfalls nach heutigem Recht nicht mehr begründet, sondern nur noch bezeichnet werden. Der Bund Deutscher Rechtspfleger hat 1978 nach einer Umfrage bei seinen Mitgliedern in allen Bundesländern darauf aufmerksam gemacht[12], daß nach dieser Neuregelung die Fälle der Geltendmachung von ungerechtfertigten Ansprüchen beträchtlich gestiegen seien. Der Bundesjustizminister hat in seiner Antwort an den Rechtspflegerbund [13] dagegen betont, daß gerade die beispielhaft aufgeführten Fälle ungerechtfertigter Anspruchsgeltendmachung durch ADV-Einsatz namhaft gemacht und dem entscheidenden Rechtspfleger ausnahmslos verdeutlicht werden könnten. Der Bundesjustizminister verkennt dabei jedoch - wie ihm der Rechtspflegerbund und auch die Gewerkschaft ÖTV zu Recht vorgehalten haben [14] -, daß das Gesetz dem Rechtspfleger seit 1977 überhaupt nicht mehr das Recht zur inhaltlichen Prüfung gibt.

Dem Gesetzgeber ist das - anders als es jetzt der Bundesjustizminister darstellt - auch durchaus klar gewesen. Er hat das gewollt. Ich zitiere dazu aus dem schriftlichen Bericht des Rechtsausschusses des Deutschen Bundestages zur Vereinfachungsnovelle[15]:

"Mit dieser Änderung wird auf eine Prüfung der Schlüssigkeit des materiellen Vorbringens des Antragstellers ganz verzichtet. Bei Verwendung der vorgesehenen Antragsformulare ist, wenn ein bereits typenmäßig erfaßter Anspruch geltend gemacht wird, auch nach der Regierungsvorlage praktisch nur noch eine Kontrolle daraufhin möglich, ob die Angaben des Antragstellers vollständig sind. In den Fällen nicht typisierter Ansprüche

---

12) Abgedruckt in: Rechtspflegerblatt, Heft 2/1978, S. 2o f
13) Vgl. Anm. 12, S. 21
14) Schreiben des Bundes Deutscher Rechtspfleger an Bundesjustizminister Dr. Vogel v. 23.5.1978, vgl.Anm. 12, S. 23
15) BT-Drucksache 7/525o S. 13 f

hätte darüberhinaus im allgemeinen allenfalls noch festgestellt werden können, ob es sich bei dem geltend gemachten Anspruch um ein klagbares Recht handelt. Von hieraus gesehen erschien es dem Ausschuß konsequenter, von einer Schlüssigkeitprüfung zugunsten einer reinen Formalkontrolle der Angaben des Antragstellers abzusehen und den erforderlichen Schutz des Antragsgegners in anderer Weise sicherzustellen."

Wie nun, auf welche "andere Weise" als durch gerichtliche Nachprüfung, soll der Schutz des Schuldners nun sichergestellt werden? Der Rechtsausschuß des Deutschen Bundestages hat nur eine einzige Antwort auf diese Frage. So lautet: § 692 Abs. 1 Satz 2 ZPO. Ich zitiere nochmals den Rechtsausschuß:[16)]

"Danach ist der Antragsgegner in dem Mahnbescheid zusätzlich darauf hinzuweisen, daß das Gericht die sachliche Berechtigung des geltend gemachten Anspruchs nicht geprüft hat. Mit dem Erlaß des Mahnbescheides wird danach bei dem Antragsgegner nicht der Eindruck erweckt, daß Grundlage des Bescheids ein gerichtlich anerkannter Anspruch des Antragstellers sei. Gemessen an dem Gehalt einer nur kursorischen Prüfung des geltend gemachten Anspruches, wie dieses auch gegenwärtig in der Praxis vielfach nur noch möglich ist, dürfte damit im Ergebnis sogar ein besserer Schutz des Antragsgegners erreicht werden können".

Diese Antwort ist für mein Gefühl unzureichend. Man vertraut hier einem gedruckten Satz schriftsprachlicher Aufklärung zu sehr.Es gibt immerhin einen erheblichen Anteil von Bürgern, die auch einen solchen Hinweis nicht verstehen oder doch nicht über die soziale Widerstandskraft ver-

---

16) Vgl. Anm. 15. Auch abgedruckt in: Rechtspflegerblatt Heft 2/1978, S. 22

fügen, ihm zu folgen. Immerhin aber ist nach der Neuregelung die Zahl der Widersprüche bei den meisten Gerichten erheblich gestiegen. Für das Amtsgericht München wird ein Ansteigen der Widersprüche um etwa 1oo % angegeben und mitgeteilt, daß in einem Großteil dieser Fälle das Verfahren nach Einlegung des Widerspruches nicht fortgesetzt werde[17].

Mit solchen Zahlenangaben mag man sich politisch über den Wegfall der Schlüssigkeitsprüfung beruhigen können. Eine wissenschaftlich gegründete Feststellung liegt aber solcher Beruhigungsstrategie bisher nicht zugrunde. Ich finde dies hier einen geeigneten Ort, um eine wissenschaftlich gesicherte inhaltliche Untersuchung dieser Frage zu fordern.

Probleme der Automation im gerichtlichen Mahnverfahren sind auch alle sozialen, politischen, rechtsdogmatischen Probleme, die sich im Zusammenhang mit dem Einzug der ADV-Anlagen in die Gerichte stellen. Es scheint mir nötig, einen sozusagen soziologischen Begriff der Automation zugrunde zu legen oder anders formuliert:
den interdisziplinären Charakter der Rechtsinformatik stark zu betonen und unter ihrem wissenschaftlichen Dach vor allem Methoden zu entwickeln, die der zuverlässigen Beratung der Rechtspolitik dienen können. Als eine Disziplin mit sozialempirischem Ehrgeiz, besser: als eine Disziplin mit anwendungsbezogenem Forschungsinteresse kann die Rechtsinformatik wegen des neuen

---

17) H. Schlemmer, a.a.O. (Anm.5), S.2o2; anders für den Geschäftsbereich des AG Hamburg: H.Büchel, Probleme des neu geregelten Mahnverfahrens, NJW 1979, 945; danach betrug im ersten Halbjahr 1978 beim AG Hbg. die Zahl der Widersprüche bezogen auf die Zahl der erlassenen Mahnbescheide 14%; das entspricht dem Wert, den das Soll-Konzept (Anm.2) als Landesdurchschnitt für Baden-Württemberg und für 197o angibt (14,27%), AG Essen 197o: 15,8o %.

Blickpunktes, den sie auf das Recht und seine Organisationen hat, Problemfelder entdecken und bearbeiten, die bisher noch hinter den Bergen der Rechtswissenschaft liegen.

Ich äußere das sozusagen beiseite, aber ich sage es nicht zufällig an dieser Stelle. Ich habe nämlich den § 692 Abs. 1 Nr. 2 ZPO, diese Vorschrift der Hoffnung auf die Wirksamkeit der schriftlichen Aufklärung, noch unter einem anderen als dem bisherigen soziologischen Gesichtspunkt zu überprüfen.

Die Problematik des neuen Mahnverfahrens betrifft – wie Lappe verdeutlicht hat [18] – viel weniger die sog. Hauptforderung, sondern vielmehr die Folgewirkungen ihres Entstehens und Bestehens, die Zinsen und Kosten, die sog. Nebenforderungen.

Wer – wie der Gesetzgeber – dem durch § 692 Abs.1 Nr.2 ZPO gesetzlich vorgeschriebenen Hinweis Schutzfunktion für den Schuldner beimißt, der muß voraussetzen, daß der Schuldner sich über die Berechtigung des vom Gericht zwar verbrieften, aber nicht geprüften Anspruches

- entweder selbst ein Urteil bilden kann oder
- erkennen kann, daß ihm die Voraussetzungen solcher Urteilsbildung fehlen, daß er infolgedessen professionellen Rechtsrat einholen muß.

Diese Annahme ist jedoch allenfalls im Hinblick auf die Hauptforderung schlüssig. Daß dagegen – beispielsweise – auch die Kosten eines Inkassobüros ein "Anspruch des Antragstellers" sind und daher von diesem, das Gericht salvierenden Hinweis des § 692 Abs. 1 Nr. 2 ZPO erfaßt werden, setzt einen Subsumtionsvorgang voraus, zu dem – fürchte ich – die meisten Bürger nicht imstande sind.

---

18) F. Lappe, Emanzipation vom Gesetz, RPflBl 1978, 24 f

Selbst wenn sie dazu imstande sind, werden sie oftmals nicht über die Kriterien und Kenntnisse verfügen, über die man verfügen muß, um hinsichtlich des Kostenanspruches und hinsichtlich von Nebenforderungen die Frage verläßlich zu entscheiden, ob Widerspruch mit Aussicht auf Erfolg eingelegt werden kann. Diese Fragen sind sogar für die meisten Juristen kaum zu beantworten. Ich weiß, daß das kein wissenschaftliches Urteil ist und daß es kaum mehr als anekdotischen Wert hat, wenn ich mich hier auf die Erfahrungen berufe, die ich ein paar Jahre lang als Vorsitzender einer Kammer für Handelssachen am Landgericht Berlin mit einer zentralen Zuständigkeit für Kostensachen gemacht habe. Diese Erfahrungen fasse ich in dem Satz zusammen: Die in der rechtswissenschaftlichen Grauzone eines Rechtspflegerverfahrens verlaufende Entscheidung über die Verfahrenskosten bezieht sich außerordentlich oft auf Werte und auf Fragestellungen, die nach Quantität und Qualität die Bedeutung vieler streitiger Zivilprozesse erheblich übersteigen. Diese Entscheidungen sind mit einem rechtswissenschaftlichen Instrumentarium zu fällen, das unzulänglich ist. Eine handliche Systematisierung, oder einfacher gesagt: die wissenschaftliche Durchdringung fehlt dem Kostenrecht, dem Recht der Nebenforderungen, in schmerzlicher Weise. Das Gebiet ist fast ganz der Kasuistik überlassen. Es wartet sehnsüchtig auf seine Entdeckung durch die Jurisprudenz. Diese Bemerkung ist gerade in dem Zusammenhang nötig, in dem wir hier auf diesen Problembereich stoßen. Die folgenden rechtspolitisch-rechtswissenschaftlichen Forderungen verdeutlichen das:

1. Jedenfalls hinsichtlich der Kosten und der Nebenforderungen muß die summarische Schlüssigkeitsprüfung durch den Rechtspfleger gesetzlich wieder eingeführt werden.

2. Die möglichen Sachverhalte, aus denen Kosten- und Nebenforderungsansprüche entstehen können, müssen von einer angewandten Rechtswissenschaft typisiert werden, damit vom Antragsteller Angaben abgefordert werden können, die das Maschinenprogramm zu überprüfen imstande ist.

3. Das Programm muß mit den Daten versehen werden, die die hauptsächlichen Unschlüssigkeitskriterien solcher Forderungen erfassen.

4. Das Programm muß diese Daten zu einem Prüfungsschema verbinden, das es ermöglicht, die Fälle unschlüssiger Kosten- und Nebenforderungen auszusondern und der Einzelfallprüfung durch den Rechtspfleger zuzuführen.

Diese hier natürlich nur flüchtig skizzierte Aufgabenstellung ist inhaltlich von doppelter Gestalt. Sie enthält Aufgaben an den Bereich, den ich jetzt weiterhin einfach "Automation" nennen will. Sie enthält aber auch - vielleicht vor allem - Aufgaben an die Rechtswissenschaft. Damit entsteht hier die Notwendigkeit für einen Bereich des wissenschaftlichen Clearings: hier also sind die Forschungsbereiche und Aufgabenkataloge zu formulieren, die sich hernach den Namen einer angewandten Rechtsinformatik verdienen werden.

Unterdessen bemerken Sie bitte, daß ich meine Anfangssätze zu modifizieren beginne. Das Problem, habe ich vorhin gesagt, der Automation des gerichtlichen Mahnverfahrens ist die Automation. Das stellt sich jetzt als ein Satz heraus, der nur in sozialpsychologischer Hinsicht richtig ist. Der Gesetzgeber hat sich zu frühzeitig, nein: er hat sich ohne die rechten Begründungen für die Automatisierung des Mahnverfahrens entschieden. Er hat auf diese Weise einem zur Zeit noch nicht automatisch betriebenen Mahnverfahren Probleme eingepflanzt, die als

Argumente gegen das automatisierte Verfahren erscheinen, obwohl sie möglicherweise - möglicherweise! - bei Einführung der Automation entfallen werden.

In diesen Zusammenhang gehört die jetzt schon aus mehreren großen Gerichten verläßlich bezeugte Tatsache, daß die Neuregelung des Mahnverfahrens zu starken Arbeitsvermehrungen geführt hat. Man schätzt, daß Mehrarbeit von etwa 2o % anfällt[19].Man weiß ungefähr, welcher speziellen Art diese Mehrarbeit ist[2o], deshalb gehe ich davon aus, daß mit Einführung der Automation diese Mehrarbeitsquote entfallen kann. Ich gehe allerdings nicht davon aus, daß - volkswirtschaftlich gesehen - das Mahnverfahren damit billiger wird[21]

Ich merke das hier nur deswegen an, weil ich davor warnen möchte, im Rahmen der notwendigen sozialpsychologischen Etablierung von Automationsverfahren in der Justiz ein ökonomisches Argument zu verwenden. Der Gesetzgeber muß sich auf seine politische Aufgabe besinnen. Er muß zur Kenntnis nehmen, daß der Widerstand gegen die ADV in der Justiz in das Unbehagen eingeht oder aus ihm hervorgeht, das sich anderswo ebenso gegen Kernkraftwerke wie gegen Bürokratie richtet. Aus diesem Zusammenhang muß die Automation gerichtlicher Verfahren gelöst werden, wenn sie im Sinne der Zielsetzung von Justiz erfolgreich sein soll. In bezug auf mein engeres Thema heißt das: Das Problem der Automation des gerichtlichen Mahnverfahrens ist die Automation solange, als es nicht gelingt, den Gerechtigkeitsgewinn überzeugend darzulegen, den das Maschinenverfahren gegenüber dem manuellen Verfahren bietet.

---

19) H. Schlemmer, a.a.O. (Anm. 5), S. 2o1

2o) Die Mehrarbeit fällt vorwiegend an bei der Registerführung und in der Kanzlei

21) Vgl. zum Kostenaspekt von Automation: W.Krause, ADV-Instrument zur Rationalisierung des Verwaltungshandelns, in: Bürgerdaten oder Datenbürger(Anm.6),S.61 ff ,bes. S. 76-85

Der Gesetzgeber hat sich also nicht nur eine unbegründete, grund-lose, sondern eine falsche Aufgabe gestellt mit der Frage: Wie kann das gerichtliche Mahnverfahren automationsgerecht gestaltet werden? Unter unseren gesellschaftlichen Verhältnissen ist im übrigen die Automationsgerechtigkeit eines Verfahrens niemals nur eine Frage an die Zweckmäßigkeit der Normengestalt. Man muß in solche Fragestellungen vielmehr die Menschen einbeziehen, die das Verfahren handhaben sollen, und natürlich auch die, die schließlich von ihm betroffen sein werden. Anders ausgedrückt: die Frage nach der Automatisierung gerichtlicher Verfahren ist an Werten zu orientieren. Automationsgerechtigkeit ist kein Synonym für Gerechtigkeit.

Das z.Zt. praktizierte Mahnverfahrensrecht zeigt, daß eine an unklaren Zweckmäßigkeitsüberlegungen orientierte normative Bemühung um Automatisierbarkeit Probleme vorspiegelt, die in Wahrheit nicht aus ADV-Erfordernissen hervorgeht, sondern aus dem unklaren Denken.

Ich nenne dafür zwei Beispiele, die als aktuelle Probleme derzeit die gerichtliche Praxis viel beschäftigen:

- Bei Mahnanträgen gegen Gesamtschuldner ist für jeden Antragsgegner ein eigener Vordrucksatz auszufüllen. Das veranlaßt Mehrarbeit und eröffnet eine beträchtliche Fehlerquelle durch Fehlleitungen[22].
- Nach §§ 696 Abs. 1 Nr. 1, 69o Abs. 1 Nr. 5, 7oo Abs. 3 Satz 1 ZPO ist die Mahnsache nach Widerspruch und Einspruch erst an das Wohnsitzgericht des Schuldners und erst von dort an das gegebenenfalls ausschließlich zuständige oder vereinbarte oder vom Obergericht für Streitgenossen bestimmte, also an das letztlich zuständige Gericht zu verweisen.

22) Vgl. VO zur Einführung von Vordrucken für das Mahn-

Die einzige Folge dieser Regelung ist, daß sie sinnlose Arbeit und zusätzliche Kosten verursacht. Ein Gerechtigkeitsgewinn tritt nicht ein[23].

Man kann diese Probleme natürlich mit den herrschenden Methoden der Jurisprudenz irgendwie sachgerecht lösen[24]. Mir geht es hier nicht darum, mich in den laufenden juristischen Disput einzuschalten. Ich frage mich aber, warum der Gesetzgeber solch offensichtlich teure und unter Wertgesichtspunkten nutzlose Vorschriften eingeführt hat. Ich habe dafür nur eine einzige Erklärung: Der Gesetzgeber muß gedacht haben, zu solch technisch einfachen, die wertende Entscheidung ausschließenden Vorschriften durch Erfordernisse der ADV gezwungen zu sein. Der Gesetzgeber hat damit dem Gott ADV ein Besänftigungsopfer gebracht, das dieser Gott gar nicht verlangt. Die ADV muß dem gerichtlichen Verfahrensziel untergeordnet werden, nicht umgekehrt das Verfahrensziel den Erfordernissen der ADV.

Wie kann ADV ins Mahnverfahren eingeführt werden, um einen Zugewinn an Gerechtigkeit zu erbringen, einen Zugewinn, müßte man hinzufügen, der nicht auf billigere Weise durch Menschen auch bewirkt werden kann?

Das Mahnverfahren ist auch unter der Herrschaft des alten Rechtes nicht in gutem Zustand gewesen. Den Rechtspflegern war von den Justizverwaltungen gar nicht die Möglichkeiteingeräumt, Zahlungsbefehle/Mahngesuche in der eigentlich notwendigen Weise zu überprüfen. Das Mahnverfahren war und ist eine Lücke im Rechtsstaat. Man kann den Ver-

---

verfahren. Vom 6.5.1977, BGBI I 693; Ausfüllungshinweise auf Vorblatt, zu 2 (letzter Absatz).

23) Dazu: H.Schlemmer, a.a.O. (Anm.5), S.2o3; Lappe,a.a.O. (Anm. 18) S. 25, Crevecoeur, NJW 1977, 132o f, 1322

24) Vgl. z.B. die Versuche von Herbst, Rpfleger 1978, S. 199

such unternehmen, sie mit Hilfe von Maschinen zu schliessen. Ich will ein einziges Beispiel geben.

Dem gerichtlichen Mahnverfahren gehen oftmals anwaltliche Versuche der außergerichtlichen Regulierung voraus. Die Rechtsanwälte verdienen dafür Gebühren nach § 118 BRAGebO. Nach §118 Abs. 2 BRAGebO sind diese Gebühren auf die anschließenden Verfahrensgebühren anzurechnen. Die Nichtbeachtung dieser Vorschrift, also die doppelte Erhebung von Anwaltsgebühren, begründet einen tatsächlich häufigen Tatbestand ungerechtfertigter Gebührenforderungen im Mahnverfahren. Im bisherigen manuellen Verfahren werden solche ungerechtfertigten Gebührenforderungen oft übersehen, weil man sie ja meistens nur dadurch erkennen könnte, daß man die einheitlich in einer einzigen Summe angegebene Gebührenforderung aufschlüsselnd nachrechnete. Dazu haben die Rechtspfleger meistens die Zeit nicht. In Berlin gab es vor einiger Zeit eine Organisationsuntersuchung, die den Rechtspflegern für die Bearbeitung eines Mahngesuchs nur eine einzige Minute zubilligen wollte. Der Computer dagegen wird längst nicht eine Minute benötigen, solche Gebührenüberhebungen festzustellen. Ihm können die möglichen Gebührenforderungen nach Tatbeständen und nach Summen einprogrammiert werden. Durch einen einfachen Vergleich der geforderten Kostensumme mit der als Zulässigkeitsdatum vorgegebenen wird er in jedem Falle unzulässige Forderungen erkennen.

Für derartige Programmierungen sind allerdings - ich sagte es schon - die rechtswissenschaftlichen Vorarbeiten noch nicht vollständig geleistet. Ich fordere dazu auf, sie im Kostenrecht und im Recht der Nebenforderungen (wenn mir dieser Ausdruck hier weiterhin erlaubt wird) unverzüglich zu beginnen. Neben den Forschungsarbeiten zur sozialpsychologischen Wirkungsanalyse der Schuldnerschutzvorschriften ist das das ausfüllungsbedürftigste Forschungsdefizit.

Mit der Benennung eines letzten Problems der Automation des Mahnverfahrens schließe ich: Wenn es möglich ist, nach den geschilderten rechtswissenschaftlichen und sozialwissenschaftlichen Vorarbeiten die Automation des Mahnverfahrens mit einem Gewinn an Gerechtigkeit zu begründen, so werden doch eine Reihe von Fragestellungen übrig bleiben, für die der Computer wegen des notwendig wertenden Charakters der Antwort zunächst auf die Entscheidung des Menschen, des Rechtspflegers, nach wie vor verweisen wird. Einige von diesen Fragen - es sind vor allem solche, die die Schlüssigkeit, die Plausibilität der Hauptforderung betreffen - könnte man ebenfalls mit vorprogrammierten Entscheidungen beantworten, wenn dem nicht ein Problem von verfassungsrechtlichem Rang entgegenstünde: die garantierte, auf Verfassungssätze zurückführbare Entscheidungsfreiheit jedes einzelnen Rechtspflegers und Richters. Sobald eine Frage mit Wertungsspielraum in eine vorprogrammierte Antwort gebracht wird, ist dieses Problem betroffen. Die Lösung kann hier vielleicht in der gerichtsverfassungsrechtlichen Einrichtung eines mit unabhängigen Rechtspflegern nach Selbstverwaltungsgrundsätzen besetzten Rechtsprechungsorgans jedes Mahngerichts bestehen. Wir könnten ihm den Namen Programmausschuß geben. Die Erstellung von Programmen und die Programmpflege müßten in Abstimmungen bzw. unter der verantwortlichen Leitung dieses Gremiums erfolgen. Änderungen von Programmen,die nicht ausschließlich maschineninterne Vorgänge betreffen, dürften ohne Mitwirkung dieses Gremiums nicht zulässig sein[25].

---

25) Einen ähnlichen Vorschlag hat der Bund Deutscher Rechtspfleger bereits mehrfach unterbreitet.

Einen solchen Vorschlag, ich weiß es, braucht man nur zu unterbreiten und schon muß man sich verstecken vor den vielen Bedenken, die unverzüglich von der einen wie von der anderen Seite geäußert werden. Ich beweise damit - sozusagen durch Selbstversuch - schließlich nur meine Hauptthese, mit der ich jetzt - schon jenseits Ihrer Geduld - schließe. Sie lautet: Auch nach den Veränderungen des Mahnverfahrensrechtes durch die Vereinfachungsnovelle ist die Automatisierung des Mahnverfahrens noch längst nicht auf den Rang eines technisch-organisatorischen Problems herabgesunken. Die Rechtfertigung der Mahnverfahrensmaschinen ist unter Gerechtigkeitsgesichtspunkten notwendig, aber wohl auch möglich. Solche Legitimierungen sind freilich nicht allein an den grünen Tischen des Gesetzgebers zu leisten. Eine interdisziplinär arbeitende Wissenschaft ist dringend aufgerufen, sich ihrer eigenen Lücken aktiv zu schämen.

DIE KOMMUNIKATIVE AUSGESTALTUNG VON FORMULAREN AM BEISPIEL DES RENTENANTRAGS [1]

Ansatzpunkt und Perspektiven eines empirischen Forschungsvorhabens zur Erstellung und Verwendung von Formularen

Von Dipl.-Vw. und Dipl.-Soz. Wolfgang Schäfer
Forschungsprojekt Verwaltungsautomation,
Gesamthochschule Kassel

1. Zur öffentlichen Diskussion des Formularwesens

Ein wichtiges Strukturmerkmal der öffentlichen Verwaltung ist der regelhafte und vielfach massenhafte Vollzug von Gesetzen und Regierungsentscheidungen. Die erweiterte Leistungserstellung und der forcierte DV-Einsatz lassen vor allem auch in der Sozialverwaltung die Bedingungen und Wirkungen dieses Strukturmerkmals deutlicher werden. Damit einher geht die stärkere Bewußtwerdung der Beziehungen der öffentlichen Verwaltung zu organisierten gesellschaftlichen Interessen sowie der Masse der Klienten. Der folgende Beitrag bezieht sich auf diese Auseinandersetzungen und beschäftigt sich mit einem organisatorischen Element des regelhaften und massenhaften Verwaltungshandelns: dem Formular.

Die öffentliche Diskussion über das"Formularwesen" ist auf dem Hintergrund der Interessen an Datenschutz und der Forderungen nach einer bürgernahen Verwaltung zu sehen. Dabei handelt es sich um Versuche, das in der Bevölkerung latent vorhandene Unbehagen an der Bürokratie in politische Argumente zu übersetzen. Hier soll nicht die Wichtigkeit dieser Auseinandersetzung in Frage gestellt werden. Zu bezweifeln ist allerdings, daß die po-

1 Die Ausführungen beruhen auf Überlegungen, die gemeinsam mit Prof.Dr.Hans Brinckmann, Prof.Dr.Klaus Grimmer und Ass.jur.Gudrun Skorka im Rahmen des Forschungsprojektes Verwaltungsautomation an der GhK entwickelt wurden. Wichtige Anregungen verdanke ich auch der Diskussion des Vortrags auf der Jahrestagung der GVRI

litische Argumentation immer an den konkreten Problemen der Verwaltung bzw. des Klienten ansetzt. Es entsteht vielmehr teilweise der Eindruck, daß die öffentliche Diskussion von zusätzlichen Interessen überformt wird. Ein Beispiel aus der Datenschutzdiskussion kann diesen Vorbehalt verdeutlichen. Häufig wird die Ansicht vertreten, der Bürger könne sich vor Mißbrauch personenbezogener Daten schützen, indem er auf Formularen oder im Gespräch mit dem Sachbearbeiter möglichst wenige Daten preisgibt. Konfrontiert man diese Argumentation mit den gesetzlichen Informations- und Mitwirkungspflichten des Klienten und der Notwendigkeit, sein Anliegen bzw. seinen Leistungsanspruch möglichst umfassend und präzise darzustellen, so würde die empfohlene Alternative in nicht wenigen Fällen den Verzicht auf die volle Realisierung von Rechtsansprüchen bedeuten.

Daß die öffentliche Diskussion über den "Formulardschungel" häufig den Adressaten verfehlt und über äußerliche Verbesserungsvorschläge zum Aufbau und zur farblichen Gestaltung nicht hinausgeht, liegt sicherlich auch an der ungenauen Fragestellung. Hinsichtlich der Verwendung von Formularen wird kaum unterschieden zwischen verwaltungsinternen Funktionen und den externen Aufgaben in der Außenbeziehung.

Die mangelnde Differenzierung verstellt so den Blick auf eine aufgabenspezifische Analyse und Bewertung des Formularwesens; jeweils verschiedene Erfordernisse der sprachlichen Ausformung bleiben z.B. unberücksichtigt. Bekannt ist lediglich, daß das Ausfüllen von Formularen dem Bürger Verdruß bereitet und dadurch die Außenbeziehungen der Verwaltung belastet werden. Häufig endet die öffentliche Kritik an dieser Stelle: Formulare sind zwar lästig, aber wohl auch ein notwendiges Übel der Bürokratie überhaupt. Die dahinterstehende bewußte (oder unbewußte) Feststellung, daß die internen Regeln der Verwaltung auf die Außenbeziehung durchschlagen, wird nicht vertieft. Zu fragen wäre wohl auch, ob die derzeitige Verwendung und Gestaltung von Formularen - wenn schon nicht den Bedürfnissen des Bürgers - dann doch mindestens den Belangen der Verwaltung entspricht.

Bedenkenswert ist immerhin, daß in manchen Behörden neuerdings die Zahl der verwendeten Formulare im Zuge einer Effektivierung des Verwaltungshandelns erheblich gesenkt wurde[2].

Eine aufgabenspezifische Analyse hätte letztlich zu prüfen, ob die derzeitige Handhabung von Formularen nicht das Ergebnis eines schlechten Kompromisses zwischen unterschiedlichen Anforderungen darstellt und eine deutliche Akzentuierung der jeweiligen Funktion nicht günstigere Gestaltungsalternativen anbietet.

Die folgende geraffte Beschreibung der Aufgaben des Formulars in der öffentlichen Verwaltung versucht, Unterschiede präziser zu fassen. Die anschließende Darstellung der Ergebnisse der empirischen Untersuchung betrachtet die Formulare des Rentenantrags nicht vordergründig unter Rationalisierungsgesichtspunkten. Die Ausführungen beziehen sich auf die kommunikative Ausgestaltung des Formulars, wobei unter günstigen Bedingungen diese Funktion durchaus nicht im Gegensatz zur Effektivierung des Verwaltungshandelns stehen muß.

---

2 Vgl. Der Senator für Inneres: Bericht über Maßnahmen zur Verbesserung der Bürgerfreundlichkeit in der Verwaltung. Berlin November 1977

2. Aufgaben des Formulars in der öffentlichen Verwaltung

Immer dann, wenn in Organisationen Tatbestände und Vorgänge schriftlich festzuhalten sind und eine Vielzahl gleichförmiger Vorgänge sich regelmäßig oder laufend wiederholen, findet das Formular Verwendung. Unabhängig vom jeweiligen Einsatz dieses Trägers schriftlicher Darstellung soll das Formular generell ein Wegweiser sein, es soll Unwillkürlichkeiten und Zufälligkeiten und damit Fehlerquellen in der Übermittlung von schriftlichen Mitteilungen ausschalten. Tätigkeiten, die durch verschiedene Personen in unterschiedlichen Bereichen ausgeführt werden, sollen zu einem geordneten Ganzen zusammengefügt werden. Darüber hinaus dient das Formular der Kontrolle und Prüfung von Verfahren. Bei der Analyse von Formularen ist zu unterscheiden zwischen verwaltungsinterner Verwendung und externen Aufgaben.

a) Verwaltungsinterne Aufgaben des Formulars[3]

Geht es primär um die Ergänzung konstanter Formularteile mit variablen Dateninhalten, ist das Formular mehr den Arbeitsmitteln zuzuordnen. Im Rahmen von Funktionsabläufen dient das Formular der Sicherung der Vollständigkeit der Datenerhebung, es begleitet und organisiert den Arbeitsablauf und dokumentiert Daten in übersichtlicher und gleichbleibender Ordnung.

Steht die Übermittlung eines konstanten Dateninhaltes an verschiedene Empfänger im Vordergrund der Verwendung von Formularen, so tritt der Aspekt des Informationsmittels stärker in den Blickwinkel. Formularmäßig erfaßte Daten genießen den Ruf der Objektivität. Diese Qualität wird vor allem darauf zurückgeführt,daß keine direkte Inter-

---

3 Vgl. auch Kommunale Gemeinschaftsstelle für Verwaltungsvereinfachung: Der Vordruck in der Kommunalverwaltung 3. Auflage. Köln 1968

aktion zwischen entscheidenden Sachbearbeitern und Betroffenen stattfindet und damit eine gegenseitige Beeinflußung minimiert wird. Vor allem im Hinblick auf verschiedene Standards bei der Bewertung von solchen Daten ist hier jedoch auf die Kontextgebundenheit von Informationen hinzuweisen.

b) Externe Aufgaben des Formulars

Neben diesen eher internen Aufgaben hat das Formular auch nach außen gerichtete Funktionen. Seine Verwendung als Mittel der Informationsbeschaffung besteht in der Umsetzung eines gesetzlichen Tatbestandes in personenbezogene Einzelangaben. Das Formular strukturiert und operationalisiert gesetzliche Meldepflichten des Bürgers oder die Tatbestandsvoraussetzungen bei Leistungsansprüchen oder Genehmigungen; schließlich dient es auch in offenen Leistungsbeziehungen der Vermittlung von Kenntnissen über tatsächliche Umstände als Voraussetzung für die Ermessensausübung der Verwaltung. Vielfach werden Informationen nicht nur mittels eines Formulars erhoben, sondern das Formular enthält - ausschließlich oder ergänzend - Angaben über "beizubringende Unterlagen".

3. Empirische Ergebnisse zur kommunikativen Ausgestaltung der Formulare des Rentenantrags[4].

Als Ausgangspunkt der Untersuchung stand zunächst die Frage nach Inhalt und Rechtsqualität von Formularen. Die Analyse des Abbildcharakters von Gesetzestexten verfolgte die Umsetzung eines gesetzlichen Tatbestandes in personenbezogene Einzelangaben. Über die Erörterung der

---

4 Eine ausführliche Darstellung der Untersuchungsergebnisse befindet sich in: W.Schäfer und G. Skorka: Die Abbildung von Gesetzestexten auf Formularen in der Rentenversicherung. Schriftenreihe des Forschungsprojektes Verwaltungsautomation, Heft 17. Kassel 1979

Rechtsqualität unterschiedlicher Formulartypen[5] weitete sich im Prozeß der Untersuchung die Problemstellung aus. Die Darstellung der empirischen Ergebnisse orientiert sich an der kommunikativen Ausgestaltung von Formularen und reflektiert auf die Außenbeziehung der Verwaltung. In Abgrenzung zur Bescheiderstellung und der damit verknüpften Kritik an der mangelnden Begründung der Entscheidung im Bescheid selbst, wird hier primär die Seite des Informationsinputs betrachtet. Insgesamt ist eine direktere Verkoppelung von verfahrensrechtlichen Problemen der Verwaltung und den Interessen und Bedürfnissen des Klienten angestrebt.

- Inwieweit wird der Informationsbedarf der Verwaltung über das Formular abgedeckt?
- Inwieweit dient das Formular der Übermittlung von Informationen an den Kunden?
- Inwieweit kann der Kunde die notwendigen Informationen seines Alltags darstellen?
- Inwieweit sind die Formulare für den Kunden überhaupt verständlich?

3.1 Das Formular als ein Element der Interaktion Klient/ Verwaltung

Die Relevanz der kommunikativen Ausgestaltung ergibt sich aus den Interaktionsbedingungen zwischen Klient und Verwaltung. Arbeitsteilung und routinemäßige Bearbeitung führen dazu, daß Informationen im Entscheidungsprozeß der Behörde nur erheblich sind, wenn sie schriftlich vorliegen. Selbst im Publikumsverkehr ist der persönliche Dialog zwischen Sachbearbeiter und Kunde begrenzt.

Entsprechend der routinemäßigen Bearbeitung der Fälle durch den Sachbearbeiter ist der Informationsinput mittels Formularen häufig in einer Form abgefaßt, die Rück-

---

5 Vgl. in diesem Heft:Prof.Dr.Klaus Grimmer: Das Formular als Norm u. Informationsmittel.

fragen des Kunden möglichst vermeidet und den Verwaltungsvorgang von der betroffenen Person ablöst. So werden z.B. bei den Positionen des Rentenantrags meistens geschlossene Fragen gestellt, die lediglich mit "ja" oder "nein" zu beantworten sind. In alltäglichen Gesprächssituationen findet man dagegen nicht selten eine andere Form der Beantwortung vor: "ja, aber ...". Diese zwischen "ja" und "nein" angesiedelte Beantwortung zielt auf eine längere Gesprächsdauer: Der Sprechende legt sich nicht auf eine Aussage fest. Er sieht seine Situation differenziert und will sich erklären.

Die Ausdrucksschwäche standardisierter Informations-Empfangs-Schemata manifestiert sich in Verfremdungseffekten und Verzerrungen bei der Informationsaufnahme und -verarbeitung.

Formulare berücksichtigen z.B. normferne Sachverhalte kaum, indem diese entweder von ihrem alltäglichen Zusammenhang mit normnahen Vorgängen getrennt oder durch ihre ausdrückliche Berücksichtigung in einem Durchschnittsschema überbetont werden. Darüber hinaus bedeuten von der Regel abweichende Fälle für die Sachbearbeitung einen größeren Aufwand, und es liegt nahe, sie nachträglich in das Schema eines Formulars einzupassen. Nicht zuletzt ist darauf hinzuweisen, daß der permanente Umgang mit formalisierter und standardisierter Bearbeitung die Tendenz hat, normferne Sachverhalte überhaupt nicht mehr wahrzunehmen.

Zunehmende Verrechtlichung und Formalisierung des Verwaltungshandelns und Verfremdungseffekte und Verzerrungen bei der Informationsaufnahme und -verarbeitung sind miteinander verschränkt. Das Dilemma der Verwaltung drückt sich darin aus, daß die Behörde dem Kunden einerseits aufgrund verstärkter Formalisierung zusätzliche

Übersetzungsleistungen abverlangt, der Klient sich andererseits die erforderliche Kompetenz aufgrund der eingeschränkten Interaktionsmöglichkeiten immer weniger aneignen kann[6].

Für den Kunden hat die reduzierte Kommunikation zur Folge, daß er zunehmend auf spezifische Vermittlungsberufe wie Rentenberater, Steuerberater, Rechtsanwalt u.a. angewiesen ist.

Die nicht zuletzt in der Gleichbehandlung aller Kunden begründete Verwendung von Formularen reproduziert so über unterschiedliche Kompetenzen (finanzieller und kognitiver Art) den ungleichen Zugang zum Rechtsanspruch bzw. verdoppelt die ungleichen Voraussetzungen des einzelnen.

3.2 Die Abbildung von Gesetzestexten und der Informationsbedarf der Verwaltung

Der Einstieg in die empirische Forschung erfolgte über die Analyse der Formulare der Rentenantragsstellung. Ist der Rentenantrag bei der Landesversicherungsanstalt bzw. bei der Bundesversicherungsanstalt für Angestellte eingereicht, so wird das Antragsformular zur Basis einer Vielzahl nun folgender Arbeitsschritte

- Zusammenstellung der erforderlichen Arbeitsunterlagen
- Antragseingangserfassung durch den Sachbearbeiter
- Aufklärung und/oder Beglaubigung von Ansprüchen in der Rentenversicherung
- Ausfüllung diverser Codierschemata zwecks maschineller Rentenberechnung

---

6 Vgl. FR vom 27.6.1979: Jeder Schwede soll ein Wörterbuch erhalten, damit er die Bürokratensprache der Behörden versteht. Diese Forderung kann allerdings nur als flankierende Maßnahme verstanden werden, dennoch illustriert sie anschaulich die Schwierigkeiten des Klienten, die erforderliche Übersetzungsleistung zu erbringen.

Dieser verwaltungsinterne Kontext wurde bei der Untersuchung der kommunikativen Ausgestaltung ausgeklammert und ist in weiteren Erhebungen zu verfolgen.
Die Ergebnisse beziehen sich zunächst auf die Analyse der Formulare der Landesversicherungsanstalt Hessen. Es findet eine Beschränkung auf die wesentlichen Anträge und Anlagen statt. Besondere Bedeutung kommt dabei dem Formular V - Antrag auf Versichertenrente aus der Arbeiterrentenversicherung - zu. Die Analyse bezieht sich deshalb im wesentlichen auf dieses Formular in Verbindung mit den Anlagen A, B, C und D. In vergleichender Absicht werden die Formulare der Bundesversicherungsanstalt für Angestellte (BfA) gegenübergestellt.

Die zusammenfassende Darstellung der Abbildung von Gesetzestexten bei den verschiedenen Anträgen und Anlagen der Rentenversicherung erfolgt in Form einer Matrix und orientiert sich an folgenden Kriterien: Umfang und Form der Umsetzung auf das Formular, die Erwähnung von Beispielen, die Berücksichtigung von gesetzlichen Entscheidungsspielräumen im Formulartext, die Notwendigkeit der Datenerhebung und deren Begründung, Hinweise auf Beweismittel.

Über diesen Abbildcharakter des Rentenantrags hinaus sind die Spalten "Datenerhebung" von besonderer Bedeutung für die Beurteilung des Informationsbedarfs der Behörde. Hinsichtlich der Informationsübermittlung an den Kunden ist die Spalte "Beispiele" und "Beweismittel" hervorzuheben.

---

7 Vgl. auch Schäfer, W: Der Rentenantrag als auslösendes Medium von Informationsflüssen zwischen Versicherten, Sachbearbeitern und diversen Behörden. Unveröffentlichtes Manuskript, Forschungsprojekt Verwaltungsautomation. Kassel 1978

Die Bedeutung des Abbildcharakters der Gesetzestexte für die kommunikative Ausgestaltung ergibt sich aus der Notwendigkeit, zumindest einen Teil der Bestimmungen im Formular abzubilden oder sie so in Frageform umzugestalten, daß der Bürger entsprechende Angaben machen kann.

Bundesversicherungsanstalt für Angestellte

Formular	Wesentliche gesetzliche Grundlagen	Abbildung der gesetzlichen Grundlagen			Beispiele	Spielräume	Datenerhebung		Beweismittel
		Umfang	Form	Sprache			Notwendigkeit	Begründungen	
Antrag auf Versichertenrente	§§ 25, 87–93,28, 36 AVG	sehr knapp	im wesentlichen Frageform und Stichworte	verständlich; teilweise wäre Erklärung von bestimmten Begriffen nötig	knapp; nur bei Ersatz- und Ausfallzeiten	zu Sachbezügen	im allgemeinen ja	fehlen	Hinweis auf Vordrucke detailliert, sonst pauschal ("Beweismittel beifügen")
Antrag auf Rente wegen Berufs- bzw. Erwerbsunfähigkeit	§§ 23, 24 AVG	knapp	Frageform	verständlich; teilweise Frageerhebung in 3. Person Singular; Formulierungen wie "meint er", "hält sich"	in einigen Positionen	keine	ja	fehlen	pauschal ("Beweismittel beifügen")
Antrag auf Waisenrente	§ 44 AVG	knapp	Frageform, wesentliche Passagen identisch mit Antrag auf Versichertenrente	verständlich	knapp; nur bei Ersatz- und Ausfallzeiten	zu Sachbezügen	im allgemeinen ja	fehlen	Hinweise knapp
Antrag auf Kinderzuschuß	§ 39 AVG	ausreichend	Frageform, zusammengefaßter Hinweis auf Seite 4	verständliche	knapp	keine	ja	fehlen	Hinweise vorhanden

Landesversicherungsanstalt Hessen

Formular	Wesentliche gesetzliche Grundlagen	Abbildung der gesetzlichen Grundlagen			Beispiele	Spielräume	Datenerhebung		Beweismittel
		Umfang	Form	Sprache			Notwendigkeit	Begründungen	
Antrag auf Versichertenrente (V)	§§ 1248, 1251, 1259, 13o8–1314 RVO	teilweise knapp, Ersatz- und Ausfallzeiten ausführlich	Umformung in Fragen vorherrschend	Gesetzestext übernommen, jedoch verständliche Sprache; eine Verweisung auf Gesetze	besonders zu Ersatzzeiten ausführlich	keine	im allgemeinen ja	kaum	Hinweise auf Anlagen, Urkunden u. Beweismittel, teilweise nicht differenziert, Platz für Beglaubigungen
Berücksichtigung von Sachbezügen	Art.2 § 55 ArVNG	teilweise	Überschrift	verständlich Begriff "Deputate" nicht erklärt	ausführlich	übernommen, meistens in der Sphäre des Sachbearbeiters	ja	fehlen	als Beispiele aufgeführt, nicht vollständig
Antrag auf Rente wegen Berufs- bzw. Erwerbsunfähigkeit (B)	§§ 1246, 1247, 1276, 1277, 1286	knapp	nur Frageform	verständlich, teilweise Frageerhebung in 3.Person Singular, Formulierungen wie "glaubt er" "hält sich	in einer Position	keine	ja	fehlen	keine Hinweise
Antrag auf Waisenrente oder Kinderzuschuß (C)	§§ 1253, 1254 1262, 1267,1269 RVO	ausführlich	Hinweise, teilweise Frageform	an einigen Stellen weniger verständlich	vorhanden	wenige Spielräume, übernommen	ja	teilweise vorhanden	ausführliche Hinweise auf beizufügende Unterlagen
Antrag auf unbare Zahlung (D)	keine, evtl. §§ 1296, 13o1 RVO	keine Abbildung	entfällt	entfällt	vorhanden	keine	ja	entfallen	Raum für Beglaubigung einer Unterschrift

Obwohl im einzelnen der Umfang der Abbildung von Gesetzestexten bei der LVA umfassender erfolgt als bei der BfA, nimmt dennoch in den Formularen beider Versicherungsträger der Gesetzestext einen breiten Raum ein. Die Aussagen der Matrix sind insofern zu relativieren, als selbst die knappe Abbildung eines langen Gesetzestextes noch einen erheblichen Umfang haben kann.

Die Beurteilung des Informationsbedarfs der Behörde anhand der Spalte "Datenerhebung" zeigt, daß die abgefragten Informationen insgesamt als notwendig für die Sachverhaltsaufklärung anzusehen sind. Deutlich wird allerdings auch, daß bei der Gestaltung des Formulars von einer Mitwirkungspflicht des Versicherten ausgegangen wird. Die restriktive Auslegung dieser Pflicht im Text des Formulars zeigt die fast vollkommene Vernachlässigung einer Begründung dieser Lasten für den Versicherten.

3.3 Die Abbildung von Gesetzestexten und der Informationsgehalt der Kunden

Der Informationsgehalt für den Kunden läßt sich exemplarisch an der "Erwähnung von Beispielen" im Formular und "Hinweisen zu Beweismitteln" beurteilen.

Bei den Formularen der LVA und der BfA werden Beispiele zur Verdeutlichung der abgefragten Sachverhalte herangezogen. Insgesamt ist diese Möglichkeit der Informationsübermittlung entsprechend ihrer Bedeutung nicht ausreichend berücksichtigt. Im Gegensatz zu den Formularen der LVA sind die Beispiele bei Formularen der BfA insgesamt viel knapper gehalten. Weitergehende Rückschlüsse lassen sich zu diesem Zeitpunkt der Untersuchung daraus nicht ableiten. Es besteht jedoch die Vermutung, daß sich bei diesem Kriterium der Formulargestaltung unterschiedliche Einschätzungen über das Informationsniveau des jeweiligen Kunden ausdrücken.

Der Hinweis auf Beweismittel im Formulartext hat für den Versicherten eine entscheidende Bedeutung, da die Gewährung von Rente maßgeblich vom Nachweis der Versicherungszeiten abhängt. Eine umfangreiche und detaillierte Auflistung aller möglichen Beweismittel würde den Funktionen des Formulars als Informationsübermittler entsprechen und einer vollen Ausschöpfung der Rechtsansprüche entgegenkommen. Inwieweit dem Formular beigefügte Ausfüllanleitungen die Funktion solcher Hinweise übernehmen bzw. übernehmen können, soll hier nicht weiter verfolgt werden.

Der Verpflichtung, auf beizufügende Unterlagen hinzuweisen, kommen die einzelnen Formulare in unterschiedlicher Weise nach.

Der Antrag auf Versichertenrente aus der Arbeiterrentenversicherung (Formular V) bringt im allgemeinen Hinweise auf die benötigten Unterlagen. Allerdings ist sowohl im Abschnitt VII (Ersatzzeiten) als auch im Abschnitt VIII (Ausfallzeiten) nur die Pauschalaufforderung "Nachweise bitte beifügen" zu finden. Welche Urkunden oder Bescheinigungen dabei als Nachweise anerkannt werden können, wird nicht näher erklärt. Davon gibt es zwei Ausnahmen.

Zum einen wird in Position 36 j) nach Zeiten einer Vertreibung, Flucht, Umsiedlung oder Aussiedlung gefragt. Dabei wird auf den Vertriebenenausweis verwiesen, dessen Vorlage bei der Position 36 j) von einer Behörde beglaubigt werden kann. Diese Nachweismöglichkeit ist zu befürworten, da dadurch dem Rentenbewerber unnötige Arbeit erspart wird und er den Ausweis nicht aus der Hand zu geben braucht.

Die zweite Ausnahme befindet sich in Position 37 c), wo auf einen Nachweis durch eine Bescheinigung eines deutschen Arbeitsamtes hingewiesen wird.

Die Anlage A der LVA Hessen gibt für die Sachbezüge vier Nachweismöglichkeiten an, und zwar Bescheinigungen der Krankenkassen oder von Arbeitgebern, Zeugenerklärungen und Gesindebuch. Hier fehlt die spezielle Erwähnung von eidesstattlichen Versicherungen, die das Gesetz in Artikel 2 § 55 Abs. 3 Satz 2 Arbeiterrentenversicherungsneuregelungsgesetz als Nachweis zuläßt.

In Anlage B der LVA Hessen fehlt jeglicher Hinweis auf einzureichende Nachweise.

Die Anlage C der LVA Hessen bringt eine vorbildliche Auflistung der benötigten Unterlagen, unterschieden nach der rechtlichen Stellung des Versicherten gegenüber den Kindern.

Die Formulare der Bundesversicherungsanstalt für Angestellte weisen besonders auf benötigte Vordrucke, aber auch auf beizufügende Unterlagen hin. Nur bei den nachzuweisenden Beitrags-, Ersatz- und Ausfallzeiten beschränkt sich der Vermerk auf die Aufforderung: "Beweismittel beifügen (da sonst Anrechnung nicht prüfbar)."

Festzuhalten bleibt, daß insgesamt die Formulare der LVA als auch der BfA den Möglichkeiten der Informationsübermittlung durch Hinweise auf Beweismittel nur beschränkt Rechnung tragen. Das Ergebnis überrascht um so mehr, als bei einer entsprechend kommunikativen Ausgestaltung Verschlüsselungsprobleme z.B. nicht auftreten.

Davon unabhängig sei hier auf den Untersuchungsgrundsatz im Verwaltungsverfahren hingewiesen. Denkbar ist nicht nur eine vollständige Auflistung der Beweismittel. Darüber hinaus könnten die Behörden von sich aus aktiv werden und die entsprechenden Unterlagen im Wege der Amtshilfe anfordern. Zu prüfen ist, inwieweit bestehende DV-

Verbundsysteme auch in dieser Hinsicht benutzerfreundlich gestaltet werden können.

Denkbar wäre folgender Vorgang: Der Bürger, Klient der öffentlichen Verwaltung, teilt dem Sachbearbeiter mit: Ich will die und die Leistung in Anspruch nehmen. Die Behörde prüft daraufhin die vorhandenen Unterlagen und Daten und schickt dem Klienten nach einiger Zeit eine Mitteilung: Aufgrund unserer Unterlagen besteht Aussicht auf Leistungsgewährung. Wir benötigen über die vorhandenen Daten, Belege (es folgt eine Auflistung) hinaus von Ihnen noch zusätzlich folgende Unterlagen.

3.4 Möglichkeiten der kommunikativen Ausgestaltung anhand von Textbeispielen

Bei folgenden Textstellen läßt sich beispielhaft die Möglichkeit und Richtung von Alternativen der kommunikativen Ausgestaltung andeuten. Die Hinweise beziehen sich jedoch ausschließlich nur auf eine Ebene des geplanten Forschungsvorhabens. Insofern sind diese Ausführungen als vorläufig einzuschätzen. Die angestrebte Verknüpfung verschiedener Untersuchungsebenen kann unter Umständen zu einer Modifizierung der Aussagen führen. Dieser Vorbehalt scheint dennoch nicht so gravierend. Hier kommt es vor allem darauf an, die Notwendigkeit und Nützlichkeit von Gestaltungsalternativen zu markieren.

Die Darstellung der Ergebnisse zu diesem Abschnitt der Formularanalyse orientiert sich an folgenden Kriterien: Fachausdrücke, die Verwendung von Abkürzungen, Art der Fragestellung, Übersichtlichkeit. Mitberücksichtigt wird die Möglichkeit des Kunden, persönliche Anmerkungen zu machen.

a) Fachausdrücke

An manchen Stellen scheint eine nähere Erläuterung der Ausdrücke der Fachsprache angebracht. So lautet beispielsweise eine Passage der Anlage C, III b) der LVA Hessen:

> ...... besteht nach Vollendung des 18.Lebensjahres trotz Ausbildung ein Anspruch auf Kinderzuschuß bzw. Waisenrente
>
> 1. ......
> 2. wenn dem Kind mit Rücksicht auf die Ausbildung Unterhaltsgeld ......zusteht......
> 3. wenn dem Kind mit Rücksicht auf die Ausbildung Übergangsgeld zusteht......

Die Anträge auf Waisenrente und Kinderzuschuß der BfA enthalten auch die Fachausdrücke "Unterhaltsgeld" und "Übergangsgeld", jedoch bringt nur der Antrag auf Kinderzuschuß auf Seite 4 eine Erklärung dazu. Hier wird deutlich, daß es sich bei dem Unterhaltsgeld um eine Leistung im Rahmen der Aus- und Fortbildung und bei dem Übergangsgeld um eine berufsfördernde Maßnahme zur Rehabilitation handelt. Es kann nicht davon ausgegangen werden, daß ein Rentenbewerber normalerweise über diese Sachverhalte informiert ist.

Auch die Frage der Wortwahl ist von Interesse. So werden in den verschiedenen Formularen Fachausdrücke verwendet, die den Rentenbewerbern nicht unbedingt bekannt sein müssen, wie beispielsweise die Begriffe "Rentenanwartschaften" (Formular V der LVA Hessen, Seite 2), "Versorgungsausgleich" (Antrag auf Versichertenrente aus der Angestelltenversicherung, Seite 6), "Sachbezüge" (ebenda. Seite 4), "Deputate" (Formular V der LVA Hessen, Seite 4, Anlage A der LVA Hessen) oder "Bestallung" (Formular V der LVA Hessen, Seite 2; Antrag auf Versichertenrente aus der Angestelltenversicherung, Seite 1).

b) Abkürzungen

Eine Verwendung der Abkürzungen "LVA","BfA"(Antrag V der LVA Hessen, Seite 2) sowie "AV" und"ArV" (Antrag auf Versichertenrente aus der Angestelltenversicherung, Seite 6) ohne vorherige Erklärung mag noch angehen, da der Antragsteller nach einigem Nachdenken wahrscheinlich die Bedeutung der Abkürzungen weiß. Schwieriger wird es schon bei Abkürzungen wie "HKG" (Antrag V der LVA Hessen, Seite 5), obwohl vorher im Zusammenhang der Begriff "Heimkehrer" fällt.

Daß Abkürzungen im Formulartext sich häufig lediglich an schreibtechnischen Kriterien orientieren, macht insbesondere folgender Textteil aus dem Antrag auf Versichertenrente aus der Arbeiterrentenversicherung, S.6, Position 41, deutlich:

> Wurde Nachversicherung nach § 72 G 131, § 99 AKG, Artikel 6 §§ 18 ff. FANG, § 2o/23 a NS. - Abw.Ges, beantragt?

Diese Frage hat darüber hinaus für den Versicherten keinen Informationswert und dient bestenfalls dem Sachbearbeiter, indem dieser auf Sachverhalte aufmerksam gemacht wird.

Weniger auffallende Verweisungen ohne besondere Informationsfunktion finden sich in den meisten Formularen, so z.B. auch im Antrag auf Versichertenrente aus der Angestelltenversicherung, Abschnitt 7., in dem es heißt:

> Wurden Ersatzzeiten zurückgelegt, die in den Versicherungsunterlagen nicht enthalten sind?
>
> 7.1. Militärischer Dienst im Sinne des § 2 des Bundesversorgungsgesetzes (z.B. Wehrmacht, Kriegsdienst)
>
> ....
>
> 7.4. Internierung oder Verschleppung im Sinne des § 1 Heimkehrergesetzes?

Falls, wie in Position 7.1., Beispiele zu den Verweisungen aufgeführt sind, können diese zweckmäßig sein. Bei Verweisung ohne Aufführung von Beispielen - wie in Position 7.4. - wird ihre Erwähnung unsinnig, da nicht davon auszugehen ist, daß der Rentenbewerber sich den Text des Heimkehrergesetzes beschafft oder beschaffen kann.

c) Art der Fragestellung

Die Art der Fragestellung in Formularen ist insofern relevant, als die Anrede des Antragstellers und einzelne Formulierungen Rückschlüsse auf die Bewertung seines Status durch die Behörde zulassen. Bei dem Antrag auf Rente wegen Berufs- oder Erwerbsunfähigkeit wird gefragt, "Wegen welcher Leiden hält sich der Rentenbewerber für berufs- oder erwerbsunfähig?" (BfA), "Seit wann hält sich der Rentenbewerber für berufs- oder erwerbsunfähig?" (LVA) oder "Welche Arbeiten meint der Rentenbewerber noch verrichten zu können?" Diese Art der Fragestellung könnte durchaus als Ansatz interpretiert werden, der eine Kommunikation zwischen Kunde und Verwaltung herstellt. Da aber die Entscheidung über Berufs- oder Erwerbsunfähigkeit vom ärztlichen Gutachten abhängt, drückt diese Fragestellung eher ein Mißtrauen des Versicherungsträgers gegenüber dem Rentenbewerber aus: Die Formulierung der Frage ermöglicht einen kommunikativen Bezug, der dann aber im entscheidenden Prozeß der Sachbearbeitung nicht entsprechend Berücksichtigung findet.

d) Übersichtlichkeit

Dem Bedürfnis nach Übersichtlichkeit kommen die meisten Formulare durch Hervorhebung nach. Die Formulare der LVA Hessen betonen bestimmte Daten durch grüne Felder. Dabei handelt es sich im wesentlichen um persönliche Daten, aber auch um Felder, in die verschlüsselte Daten durch den Sachbearbeiter der Versicherungsanstalt einzutragen sind. Der Raum, der von der Behörde auszufüllen ist, ist ferner durch starke Umrandung gekennzeichnet.

Bei den Formularen der BfA sind insbesondere die persönlichen Daten mit grüner Farbe markiert. Anweisungen für das Ausfüllen der Formulare und wichtige Begriffe werden rot abgedruckt. Der Behördenraum ist ferner rot umrandet.

Alle Formulare sind in Abschnitte und innerhalb der Abschnitte in Positionen aufgegliedert. Insgesamt läßt sich feststellen, daß dadurch die Formulare - zumindest nach eingehender Beschäftigung, wie sie beim Ausfüllen nötig ist - trotz der Fülle der Daten einigermaßen übersichtlich sind.

e) Raum für persönliche Eintragungen

Auch der Raum, der dem Rentenberwerber zum Eintragen der Daten zur Verfügung steht, ist im allgemeinen als ausreichend anzusehen. Oft handelt es sich bei der Datenerhebung nur um Angaben wie "Ja/Nein", manchmal sind nur ein Datum, die Angabe einer Behörde oder eine Adresse anzugeben.

Knapp kann der Eintragungsraum nur werden, wenn nach Begründungen gefragt wird. Als Beispiel soll hier Position 5.3 aus dem Antrag auf Versichertenrente aus der Angestelltenversicherung dienen, in der es heißt:

> Wurde früher bereits eine Rente aus eigener Versicherung bezogen bzw. beantragt (auch in der DDR oder im Ausland)?
>
> Nein/Ja seit/bis beantragt am
> Versicherungsträger/Aktenzeichen/ggf. Grund der Ablehnung

Die Positionen, bei denen der Raum zur Eintragung zu knapp werden kann, sind allerdings - sowohl in den

Formularen der BfA als auch der LVA Hessen - nur ausnahmsweise zu finden.

Diese Feststellung bezieht sich auf die derzeitige Verwendung von Formularen: Der Verwaltungsvorgang soll möglichst von der betroffenen Person abgelöst werden. Die naheliegenden Antwortmöglichkeiten entsprechen der Form und dem Inhalt der Fragen. Der Raum für persönliche Eintragungen erscheint dann als ausreichend.

4. Zusammenfassung der Ergebnisse und Überlegungen zu einem Konzept der didaktischen Reduktion bei der Abbildung von Gesetzestexten in Antragsformularen

Die Auswertung der Formulare der LVA Hessen und der BfA zeigt, daß eine vollständige Abbildung von Gesetzestexten nicht erfolgt. Da Gesetzestexte oft einen sehr hohen Abstraktionsgrad aufweisen und dem juristischen Laien auch nach mehrmaligem Lesen nicht verständlich werden, scheint eine solche Ausgestaltung auch nicht erstrebenswert. Notwendig ist eher eine didaktische Reduktion des Gesetzestextes, die es der Verwaltung erlaubt, die erforderlichen Sachverhalte zu ermitteln und dem Klienten den Sinn des Gesetzes verständlich macht.

Ein Konzept der didaktischen Reduktion ist weder im positiven oder negativen Sinne, weder insgesamt noch in einzelnen Abschnitten erkennbar. Es entsteht vielmehr der Eindruck, daß die Ausprägung der jeweiligen Kriterien in verschiedenen Formularen eher zufällig erfolgt oder von Bedingungen abhängt, die in diesem Untersuchungsschritt noch nicht erfaßt wurden, wie z.B. interne Regeln der Sachbearbeitung. Auch bei dem wesentlich kürzeren Rentenantrag der BfA ergeben sich keine Anhaltspunkte für ein didaktisches Konzept. Es ist lediglich zu vermuten, daß die insgesamt knappere Form aus internen Rationalisierungsbestrebungen resultiert und die BfA bei ihren Klienten eine größere Übersetzungskompetenz aufgrund deren sozialen Status bzw. der ausgeübten Tätigkeit voraussetzt.

Wenn bei der Formulargestaltung zwar kein Konzept der didaktischen Reduktion erkennbar ist, so soll auf eine Tendenz aufmerksam gemacht werden: Im Vergleich mit anderen Kriterien nimmt die Wiedergabe von Gesetzestexten einen relativ breiten Raum des Formulartextes ein. Inwieweit eine derartige formale Handhabung dem Bemühen der Behörden entspricht, sich in Bezug auf übergeordnete Instanzen abzusichern[8], ist in weiteren Erhebungen zu ermitteln. Daß eine solche formale Handhabung in ihren praktischen Auswirkungen durchaus den Absichten des Gesetzgebers zuwider laufen kann, sei hier nur am Rande bemerkt.

- Die eingangs gestellte Frage nach dem Informationsbedarf der Verwaltung kann nicht abschließend beurteilt werden. Nach einem vorläufigen Überblick scheint der Formaltext dem sachlich notwendigen Informationsbedarf zu entsprechen. Erst eine Ausweitung der Erhebung auf den Prozeß der Sachbearbeitung ermöglicht eine differenziertere Bewertung. Dabei wäre auch zu untersuchen, ob Formulare im Zusammenhang mit den angeforderten Nachweisen, Belegen und sonstigen Unterlagen nicht zu einer Überinformation führen und eine aufgabenbezogene Entscheidung erschweren.

- Hinsichtlich der Übermittlung von Informationen an den Klienten ergeben sich aus den bisherigen empirischen Ergebnissen eindeutigere Aussagen. Im Rahmen der be-

8 Vgl. FAZ vom 23.12.1978 sowie den Tagungsbericht der Kommission für Fragen der Sprachentwicklung (IDS) vom 15./16.12.1978

stehenden Formulargestaltung werden die Möglichkeiten der Informationsübermittlung nicht erschöpfend genutzt. Die Hinweise zu beizubringenden Unterlagen sind nicht durchgängig und nicht umfassend. Die Erklärung von Fragen anhand von Beispielen findet entsprechend ihrer Bedeutung für den Klienten nur spärlich statt.

Betrachtet man die kommunikative Ausgestaltung des Formulars im Zusammenhang mit den Auskunfts- und Beratungspflichten der Behörden und den sich erweiternden Übersetzungsleistungen des Klienten, so ist die Entwicklung von Gestaltungsalternativen verwaltungsverfahrensrechtlich erforderlich und möglich. Die kommunikative Ausgestaltung des Formulars könnte dabei sowohl auf die Einleitung von Lernprozessen über die gesetzliche Anspruchsgrundlage abzielen als auch zu einer didaktischen Reduktion von Tatbestandsmerkmalen auf die alltägliche Lebenspraxis führen.

- Inwieweit der Klient die für ihn wichtigen Daten des Alltags in ihrem Lebensbezug im Formular darstellen kann, konnte auf dieser Ebene der Analyse nicht erfaßt werden. Dieser Aspekt ist jedoch in weiteren Untersuchungsschritten als wichtiges Moment der kommunikativen Ausgestaltung weiter zu untersuchen. Das erkennbare Übergewicht an geschlossenen Fragen im Zusammenhang mit sich ausbreitenden Formalisierungstendenzen deutet aber auf zunehmende Übersetzungsverluste auf Kosten des Klienten hin. Unter diesem Gesichtspunkt ist ein Konzept der didaktischen Reduktion neu zu überdenken. Wünschenswert scheint eine stärkere Trennung von verwaltungsinternen Funktionen der Formularverwendung und den externen Funktionen der Antragsformulare in der Außenbeziehung. In diesem Fall sollte die didaktische Reduktion von Gesetzestexten weniger im Vordergrund der Formulargestaltung stehen. Die kommunikative Funktion des Formulars erfordert u.U. eher einen umfassenden Bezug auf die Situation der Antragstellung und die Lebenswelt des Antragstellers.

- Auf die Verständlichkeit der Formulare für den Klienten[9] kann über die Verwendung von Fachausdrücken und Abkürzungen geschlossen werden. Die empirischen Ergebnisse zeigen gerade bei diesem Komplex eine starke Orientierung an schreibtechnischen und arbeitsorganisatorischen Erfordernissen, die die Verständlichkeit des Formulars für den Klienten erheblich einschränken. Ergänzend sei an dieser Stelle hinzugefügt, daß das Unbehagen des Bürgers an der mangelnden Verständlichkeit von Formularen über die sprachliche Dimension hinausgeht. Unverständlich ist für ihn auch, wie die Daten verwaltungsintern verarbeitet werden. Die mangelnde Transparenz der Verwendung von Formularen führt zusammen mit sprachlichen Schwierigkeiten zu der teilweise übertriebenen Vorstellung, falsche Angaben aus Unkenntnis könnten unübersehbare existenzielle Konsequenzen aufgrund undurchsichtiger verwaltungsinterner Verarbeitungsprozesse nach sich ziehen.

5. Perspektiven empirischer Forschung zur Verwendung von Formularen

Die Interpretation der Ergebnisse zur kommunikativen Ausgestaltung von Formularen verweist einerseits auf die Notwendigkeit und Nützlichkeit einer systematischen empirischen Erhebung zu den jeweiligen spezifischen Funktio-

---

9 Vgl. Studie zum Problem des Bürokratismus. Untersuchung von Formularen und automatisch erstellten Bescheiden von Bund, Parafiskus und Wirtschaftsunternehmen anhand von Studiotests. Procon GmbH, Heidelberg 1977

nen des Formulars und macht andererseits die Begrenztheit der angeführten Untersuchungsebene deutlich. Nur am Rande sei hier auf den wichtigen Prozeß der Erstellung von Formularen und die Frage der Legitimation der "Hersteller" hingewiesen. (Wieso gibt es keine Ansätze, den Bürger an dem Prozeß der Erstellung und Ausgestaltung des Formulars in angemessener Weise zu beteiligen? Einen Schritt in diese Richtung könnte z.B. folgende Frage im Formular andeuten: Bei welcher Position hatten Sie Schwierigkeiten beim Ausfüllen, was hat Ihnen am Aufbau des Formulars zugesagt?)

Für die Beurteilung der jetzigen formularmäßigen Kommunikation zwischen Klient und Verwaltung und für die Entwicklung von Gestaltungsalternativen ist eine Ausweitung der Untersuchungsebene auf den arbeitsorganisatorischen Kontext und den Alltag des Klienten sinnvoll.

Die Einbeziehung des Formulars als Organisations- und Arbeitsmittel hätte vor allem auf den Entscheidungsprozeß des Sachbearbeiters abzustellen. Zu fragen ist nach den praktischen Ermessensspielräumen der Sachbearbeitung.
Die Erhebung könnte die Grenzen der kommunikativen Ausgestaltung markieren und die Kriterien einer Ausdifferenzierung der Formulartypen und ihrer Gestaltung entsprechend der verwaltungsinternen Funktion bzw. kommunikativen Erfordernissen konkretisieren. Zu vermuten ist, daß der erweiterte Einsatz von Informationstechnologien die arbeitsorganisatorischen Gesichtspunkte der Formulargestaltung stärker hervorhebt und die gesetzlichen Ermessensspielräume immer weniger den praktischen Ermessensspielräumen der Interaktion Klient - Sachbearbeiter entsprechen. Im einzelnen ist zu prüfen:

- die Erfassung personenbezogener Daten über "weiche" oder "harte"Informationen

- die Festlegung der Sachbearbeitung auf bestimmte aufeinanderfolgende Arbeitsvorgänge durch einen inneren Leitfaden bei der Gestaltung des Formulars
- die Beeinflussung des Entscheidungsprozesses z.B. aufgrund von Selektionsprozessen durch die farbliche Gestaltung des Formulars
- der Zusammenhang von formalisierter Bearbeitung und formalisierter Begründung und Präsentation der Leistung.

Die Ausweitung der Untersuchungsebene auf den Lebenszusammenhang des Klienten sollte über die fallbezogene Analyse einzelner Gruppen von Antragstellern erfolgen. Neben den Kriterien Einzelfallgerechtigkeit bzw. Gleichbehandlung aller Klienten wäre eine aufgabenbezogene und gruppenspezifische Orientierung in die kommunikative Ausgestaltung von Formularen einzubeziehen.

Die Umsetzung solcher Ergebnisse auf die Gestaltung des Formulartextes kann sich dabei sozio-linguistische Erkenntnisse nutzbar machen, wie sie u.a. bei der Konstruktion von schriftlichen Fragebogen entwickelt wurden.

Ansatzpunkt einer sozio-linguistischen Bewertung von Formulartexten ist der Sachverhalt, daß die geschriebene Sprache vom außersprachlichen Kontext abstrahiert, d.h. z.B. von der Möglichkeit des Nachfragens. Die Analyse der Formulare und die Entwicklung von Gestaltungsalternativen im Zusammenhang mit fallbezogenen Untersuchungen zur Situation der Klienten hätte folgende Aspekte zu berücksichtigen:

- Die Formanalyse ergibt einen Überblick über Aufbau und Übersichtlichkeit der Formulare, die Menge der Fragen, Platz für Erklärungen, Hinweis auf Rückfragemöglichkeiten usw.
- Die Textanalyse umfaßt Aspekte der Frageformulierung und der Antwortvorgaben. Dabei meint Frageformulierung die Art, Anordnung und Dimension der Frage (Hallo-Effekt, d.h. Ausstrahlung einer Frage auf die nächste, offene oder geschlossene Frage, Relevanzabstufung der Fragen). Die Art der Antwortvorgaben bezieht sich auf

Aspekte der Logik (wenn/dann-Beziehungen, Wahr/Falsch-Aussagen).

- Über den grammatikalischen Kontext hinaus könnten Zusammenhänge von Sprache und Handeln deutlich werden wie z.B. daß verdinglichte Sprache auf verdinglichte (verkürzte) Beziehungen verweist und einseitige Kommunikationsstränge Handlungskompetenz verhindern.

Aufgrund der Fülle von Problemen, die im Zusammenhang der Reduktion von Umweltkomplexität im Prozeß des Verwaltungshandelns - hier die Verwendung von Formularen - angesprochen wurden, kann u.U. ein falscher Eindruck entstanden sein. Daß Formalisierung und routinemäßige Kommunikationsformen die Effektivität des Verwaltungshandelns beschleunigen können, ist unumstritten.

Falsch ausgefüllte Formulare sind dennoch in nicht seltenen Fällen die Fehlerquelle in der Leistungserstellung und führen zu aufwendigen Verfahren nachträglicher Überprüfungen.

Die breite Darstellung der Probleme bei der Verwendung von Formularen versteht sich nicht zuletzt auch auf dem Hintergrund eines übergreifenden Phänomens der Reduktion von Umweltkomplexität im Prozeß des Verwaltungshandelns: Der formalisierte Informationsinput in komplexe Systeme verhindert unter ungünstigen Bedingungen die Wahrnehmung und Bearbeitung neuer (noch) nicht erfaßter Aspekte der sozialen Umwelt.

Das geplante Forschungsprojekt geht davon aus, daß dieser Mechanismus auch heute noch,z.B. hinsichtlich der Verwendung von Formularen,funktioniert. Solche Zusammenhänge vorausgesetzt, muß es ein Ziel der Untersuchungen sein, gerade auf unterbelichtete Dimensionen und Problemstellungen des formularmäßigen Informationsinputs aufmerksam zu machen. In diesem Sinne wird die Diskussion der Ergebnisse mit den zu untersuchenden Verwaltungen ein wichtiges Anliegen der Forschungsarbeit sein.

RATIONALISIERUNGSANSÄTZE IM NEUEN VERWALTUNGSVERFAHRENSRECHT

Von Dr. Achim André, Bonn

Das mir gestellte Thema wirft eine Reihe Fragen auf, die vorab einer Klärung bedürfen. Die erste betrifft das darin genannte "neue Verwaltungsverfahrensrecht". Es handelt sich hierbei um das Verfahrensrecht, das in einem Gesetzesentwurf der Bundesregierung zum 10.Buch des Sozialgesetzbuchs seinen Niederschlag gefunden hat[1]. In 64 Paragraphen wird für die Leistungsträger, die auf sozialem Gebiet tätig sind, das gesamte Verwaltungsverfahrensrecht normiert, soweit nicht in den einzelnen Büchern Sondervorschriften notwendig sind. Die Bundesregierung hat diesen Gesetzentwurf im Frühjahr 1978 verabschiedet. Die erste Lesung im Deutschen Bundestag fand im Herbst 1978 statt. Gegenwärtig ist er Gegenstand von Ausschußberatungen im Bundestag.

Der Gesetzentwurf lehnt sich soweit als möglich an die Regelungen des bereits für die innere Verwaltung geltenden Verwaltungsverfahrensgesetzes vom 25.Mai 1976 an[2], trägt aber zugleich auch in gebotenem Umfang den vielfältigen Besonderheiten im Sozialrecht Rechnung. Die Unterschiede sind vor allem dadurch bedingt, daß es sich bei der inneren Verwaltung stärker um Eingriffe hoheitlicher Art, bei der Sozialverwaltung vor allem um Leistungsgewährungen handelt. Die neuen Vorschriften, die in vielen Bereichen auf jahrzehntelangen Erfahrungen aufbauen, regeln grundlegend die öffentlich-rechtliche Verwaltungstätigkeit der im Rahmen des Sozialgesetzbuchs tätig wer-

---

1) Bundesdrucksache 8/2o34 vom 4.8.1978, im folgenden als "E" zitiert.
2) BGBl I Seite 1253

denden Behörden, z.B. der Landesversicherungsanstalten oder der Ortskrankenkassen. Gleichzeitig paßt der Entwurf in einem umfangreichen Artikel II die noch weitergeltenden Regelungen der einzelnen Rechtsbereiche an das neue Recht an.

Von diesem Ausgangspunkt her stellt sich die Frage, was unter "Rationalisierungsansätzen" von der Definition her in diesem Zusammenhang zu bedeuten hat. Das Sozialgesetzbuch insgesamt ist ein Rationalisierungsansatz. Es soll das bestehende Sozialrecht überschaubarer normieren, klarer gliedern, dem Bürger verständlicher machen und der Verwaltung dessen Anwendung erleichtern. Einer der Wege hierzu war, das gesamte Sozialverwaltungsrecht an einer Stelle, nämlich dem 10. Buch, zusammenzufassen. Die Schaffung von mehr Transparenz ist eine der großen Leitlinien des Sozialgesetzbuchs. Hieraus läßt sich ein zweiter Aspekt einer Gruppe von Rationalisierungsansätzen ableiten: Das neue Verwaltungsverfahren wird auch in dogmatischer Hinsicht klarer und leichter faßbar gestaltet. So werden z.B. im Gegensatz zu vielen bestehenden Regelungen die Rücknahme und der Widerruf eines Verwaltungsaktes deutlich getrennt von den Erstattungen der Leistungen,die der Empfänger aufgrund eines zurückgenommenen oder widerrufenen Verwaltungsaktes erhalten hat[3]. Hierdurch wird die Vermengung beider Handlungen in rechtlicher Hinsicht vermieden,aus praktischen Gründen jedoch vorgesehen, daß die Rücknahme eines Verwaltungsaktes und die Einforderung zuviel erbrachter Leistungen miteinander verbunden werden sollen[4]. An dritter Stelle sind die Rationalisierungsansätze in der Durchführung des Gesetzes zu nennen, d.h. es sind Wege gefunden worden, die der

3) Vgl. §§ 42,43 E einerseits und § 48 E andererseits
4) § 48 Abs. 3 Satz 2 E

Verwaltung überflüssige Arbeit ersparen und den Ablauf des Verwaltungsverfahrens vereinfachen sollen. So interessant auch die ersten zwei Aspekte sind, so will ich mich im Hinblick auf das Gesamtthema der Tagung auf den dritten Gesichtspunkt beschränken, nämlich auf die Rationalisierungsansätze in der Durchführung des neuen Verwaltungsverfahrensrechts im Sozialgesetzbuch.

Hierzu will ich eine grundlegende Bemerkung vorausschikken, die mir für das Verständnis der weiteren Ausführung, aber auch für die Methodik meiner Darlegungen wesentlich erscheint: Drei durchgehende Prinzipien gestalten das Verwaltungsverfahrensrecht: Einmal dient es der Verwirklichung des materiellen Rechts, zum anderen hat es die Aufrechterhaltung von Rechtssicherheit und Vertrauen in die Verwaltung zum Ziele und zum dritten gewährt es dem Bürger Hilfen zur Realisierung seiner Ansprüche. Die Rationalisierung bei der Durchführung des Gesetzes wurde hierbei nicht vergessen, jedoch hat sie gegenüber diesen drei Leitlinien nur eine dienende Funktion. Im Zweifel mußte die Rationalisierung der Durchführung hinter diesen 3 Leitlinien zurückstehen. Die Wasserrechnung des Bundeskanzlers, die zwar edv-mäßig erstellt, aber für den Empfänger nicht mehr verständlich ist, war nicht das Leitbild bei der Schaffung des Gesetzentwurfs zum Verwaltungsverfahrensrecht im Sozialgesetzbuch.

Dieser Ausgangspunkt hat zur Folge, worauf die Verwendung des Wortes "Ansätze" im Thema indirekt hinweist, daß die Rationalisierungsvorschriften in der Ausgestaltung des Entwurfs als "Topoi" in Erscheinung treten. In einzelnen, typischen Fallgestaltungen wird der Rationalisierungsgedanke sichtbar. Die einzelnen Normen zur Rationalisierung sind über den gesamten Gesetzentwurf verstreut. Ich will in meinen Ausführungen diese Rationalisierungstopi herausstellen. Anders zu verfahren hieße, die Rationalisierungsansätze im neuen Verwaltungsverfahrensrecht nicht richtig zu erkennen. Der von mir gewählte Ansatz hat vor allem den Vorteil, daß er erkennbar macht, wie der Rationalisierungsgedanke, der die Prinzipien der Verwirklichung des materiellen Rechts, der Rechtssicherheit und der Hilfe für den Bürger nicht schwächen darf, von Fall zu Fall seinen konkreten Niederschlag gefunden hat.

Ich fasse die Fälle in drei Gruppen zusammen:

1. Rationalisierungsansätze beim Zustandekommen des Verwaltungsaktes selbst,
2. Rationalisierungsansätze im Umfeld des Erlasses des Verwaltungsaktes und
3. Rationalisierungsansätze bei besonderen Tatbeständen.

Zur ersten Gruppe ist folgendes darzulegen:

Während ein schriftlicher Verwaltungsakt die Unterschrift oder die Namenswiedergabe des verantwortlichen Bediensteten enthalten muß, kann bei einem Verwaltungsakt, der mit Hilfe automatischer Einrichtungen erlassen wird, abweichend von der allgemeinen Vorschrift Unterschrift und Namenswiedergabe fehlen[5]. Solche automatisch ausgedruckten Bescheide werden nicht selten in Massengeschäften verwandt. Es würde für die Verwaltung eine erhebliche Mehrbelastung bedeuten, wenn jeder ausgedruckte Bescheid nunmehr unterschrieben werden müßte. Adressat für Widerspruch oder eine sonstige Einwendung gegen den Bescheid ist die Behörde als solche, die selbstverständlich in einem automatisch ausgedruckten Bescheid erkennbar sein muß. Dies ist ausreichend. Eine Rechtsbeeinträchtigung des Empfängers tritt nicht ein. Es ist für ihn manchmal schwieriger, den zuständigen Bediensteten zu finden, wenn die Unterschrift fehlt, doch läßt dieser sich auch ohne Schlußzeichnung finden.

5) § 31 Abs. 4 Satz 1 E

Zur Inhaltsangabe eines Bescheides können Schlüsselzahlen verwendet werden. Das gilt allerdings nur unter der Voraussetzung, daß der Empfänger des Bescheides aufgrund der dazu gegebenen Erläuterungen den Inhalt des Verwaltungsaktes eindeutig erkennen kann[6]. Mit dem Verwaltungsakt selbst müssen also dem, den es angeht, die Erläuterungen mitgesandt werden. Wenn diese Vorschrift nicht beachtet wird, liegt ein Formfehler vor, der zur Anfechtung des Verwaltungsaktes führen kann.

Ein schriftlicher Verwaltungsakt ist nach dem Entwurf grundsätzlich zu begründen[7]. Bei automatisierten Bescheiden gilt keine andere Norm hinsichtlich der Anforderungen an die Begründung: Von einer Begründung kann aus Rationalisierungsgründen jedoch abgesehen werden, soweit die Behörde einem Antrag entspricht und der Verwaltungsakt nicht in Rechte eines anderen eingreift[8]. In diesem Falle wird davon ausgegangen, daß durch die positive Bescheidung eines Antrags der Empfänger die Gründe bereits kennt, denn sie dürften ihn zur Antragstellung bewogen haben. Außerdem dienen die Gründe dazu, eine Anfechtung zu ermöglichen, wozu bei dieser Fallgestaltung kein Anlaß besteht. Weiter kann die Begründung fehlen, wenn der Adressat die Auffassung der Behörde über die Sach- und Rechtslage bereits kennt.[9] In diesem Falle wäre es ein überflüssiger Formalismus, wenn noch eine Begründung des Verwaltungsaktes erfolgen würde.

Die Begründung des Verwaltungsaktes kann ferner fehlen, wenn die Behörde gleichartige Verwaltungsakte in größerer Zahl oder Verwaltungsakte mit Hilfe automatischer Einrichtung erläßt. Bedingung ist jedoch, daß die Begründung

6) § 31 Abs. 4 Satz 2 E
7) § 33 Abs. 1 Satz 1 E
8) § 33 Abs. 2 Nr. 1 E
9) § 33 Abs. 2 Nr. 2 E

nach den Umständen des Einzelfalles nicht geboten ist[10]. Das kann der Fall sein, wenn der Sachverhalt durch den Bescheid erkennbar ist, so z.B. wenn Kindergeld gezahlt wird, dessen Sätze für die einzelnen Kinder allgemein bekannt sind. So bedarf es hier keiner besonderen Begründung, die die Massenverwaltung ohne erkennbaren Gewinn für den Empfänger belasten würde.

Den hier genannten Fällen ist gemeinsam, daß die Rationalisierungswirkung durch Weglassen oder durch Verkürzung durch Schlüsselzahlen erreicht wird. Rationalisierung kann jedoch auch durch Hinzufügung und zwar durch ausnahmslose Hinzufügung erzielt werden. In dem Gesetzentwurf ist vorgesehen, daß jedem schriftlichen Verwaltungsakt eine Rechtsbehelfsbelehrung beizufügen ist [11]. Der Bundesrat hat eine Änderung in dem Sinne vorgeschlagen, daß eine Rechtsbehelfsbelehrung nur dann erfolgt, wenn der Antragsteller durch den Verwaltungsakt beschwert ist[12]. Die Bundesregierung hat diesem Vorschlag widersprochen. Sie hat dargelegt, daß es verwaltungstechnisch einfacher erscheint, jeden Verwaltungsakt mit einer Rechtsbehelfsbelehrung zu versehen, die formularmäßig erfolgen kann. Folgte man dem Vorschlag des Bundesrates, so müsste die Verwaltung in jedem Falle beurteilen, ob für den einzelnen eine Beschwer vorliegt. Dies dürfte häufig nicht einfach sein, so z.B. dann nicht, wenn über einen der Höhe nach nicht bezifferten Antrag entschieden werden muß. Die Verwaltung könnte bei einer solchen Prüfung zu zeitraubenden Untersuchungen gezwungen sein. Die Beifügung der Rechtsbehelfsbelehrung in jedem Falle, die auch mit dem Bescheid selbst ausgedruckt

---

1o) § 33 Abs. 2 Nr. 3 E
11) § 34 E
12) BT-Drucks. 8/2o34, S.49, Nr. 21

werden kann, ist demgegenüber der einfachere Weg. Auch wird dadurch erreicht, daß die gesetzliche Rechtsmittelfrist zu laufen beginnt.

Rationalisierungseffekte beim Erlaß eines Verwaltungsaktes werden ferner dadurch erzielt, daß Fehler des Verwaltungsaktes entweder geheilt oder toleriert werden oder der Verwaltungsakt umgedeutet wird. Nach dem Entwurf des Verwaltungsverfahrensrechts kann ein Verwaltungsakt geheilt werden, wenn der Antrag nachträglich gestellt wird, die erforderliche Begründung gegeben oder die Anhörung eines Beteiligten nachgeholt wird. Die Heilung ist auch möglich durch den nachträglichen Beschluß eines maßgebenden Gremiums und die Nachholung der Mitwirkung einer anderen Behörde[13]. Ist gegen den Verwaltungsakt jedoch bereits Anfechtungsklage erhoben worden, ist eine solche Heilung nicht mehr möglich. Maßgebend für die Heilung, die die Aufhebung des Verwaltungsaktes und den Erlaß eines neuen Verwaltungsaktes überflüssig macht, ist, daß durch die nachgeholten Schritte sichergestellt ist, daß den Betroffenen kein Rechtsnachteil entsteht[14].
Dieser Gedanke wird ganz deutlich bei der Tolerierung eines fehlerhaften Verwaltungsaktes. Nach dem neuen Verwaltungsverfahrensrecht kann die Aufhebung eines fehlerhaften Bescheides, der allerdings nicht nichtig sein darf, nicht allein deshalb beansprucht werden, weil er unter Verletzung von Vorschriften über das Verfahren, die Form oder die örtliche Zuständigkeit zustande gekommen ist, wenn keine andere Entscheidung in der Sache hätte getroffen werden können[15]. Hat der Verfahrens- oder Formfehler keine Auswirkung auf den Inhalt und steht diese fehlende Auswirkung fest, dann erscheint es als ein unnötiger For-

13) § 39 Abs. 1 E
14) § 39 Abs. 2 E
15) § 4o E

malismus, wegen dieser Fehler den Verwaltungsakt aufzuheben und die Behörde zu zwingen, einen neuen, formfehlerfreien Akt zu erlassen, der dann den gleichen Inhalt wie der erste Akt hätte. Das Bundessozialgericht (BSG) hat allerdings eine Einschränkung nach dem bereits geltenden Recht gemacht: das fehlende rechtliche Gehör, das grundrechtsähnlichen Rang habe, könne vor Gericht nicht mehr als unbeachtlich geltend gemacht und dort auch nicht mehr nachgeholt werden[16]. Dahinter ist die Annahme verborgen, daß bei der Gewährung des rechtlichen Gehörs die Sache vielleicht doch anders gelaufen wäre. In diesem Punkt wird der Gesetzentwurf möglicherweise im Sinne der BSG -Rechtsprechung geändert.

Die dritte Gruppe, bei der mit rechtlichen Mitteln eine Rationalisierung erreicht wird, ist die Umdeutung eines fehlerhaften Verwaltungsaktes. Diese ist nach dem neuen Verwaltungsverfahrensrecht zulässig, wenn der fehlerhafte Verwaltungsakt auf das gleiche Ziel gerichtet ist, wie der umgedeutete Verwaltungsakt und wenn er von der erlassenden Behörde in der geschehenen Verfahrensweise und Form rechtmäßig hätte erlassen werden können. Dies gilt allerdings nicht, wenn der Verwaltungsakt, in den der fehlerhafte Verwaltungsakt umzudeuten wäre, der erkennbaren Absicht der erlassenden Behörde widersprechen würde oder wenn seine Rechtsfolgen für den Betroffenen ungünstiger wären als die des fehlerhaften Verwaltungsaktes[17]. Durch eine Umdeutung soll also nicht der Anspruch des Bürgers an die Verwaltung beeinträchtigt werden. Die Rationalisierung, die mit der Umdeutung verbunden ist, muß also auch hier gegenüber dem Gebot der

16) Urteil vom 31.1o.1978 - 2 R U 39/78

17) § 41 E

Verwirklichung des materiellen Rechts und der Rechtssicherheit zurücktreten. Dargelegt habe ich die Rationalisierungsansätze beim Verwaltungsakt selbst. Ich wende mich jetzt den Ansätzen zu, die im Umfeld des Erlasses von Verwaltungsakten bei dem neuen Gesetzgebungsvorhaben erkennbar sind. Hierfür greife ich auf § 6o des Allgemeinen Teils des Sozialgesetzbuchs zurück[18]. Dort ist vorgesehen, daß für Angaben der Antragsberechtigten über leistungserhebliche Tatsachen Vordrucke benutzt werden sollen, wenn diese von der Behörde vorgesehen sind. Über diese allgemeine Verwendungspflicht von Vordrucken hinaus bestimmt nunmehr Artikel II § 1 Nr. 3 des Entwurfs des Verwaltungsverfahrensgesetzes für den Bereich der Bundesausbildungsförderung, daß die zur Feststellung des Anspruchs erforderlichen Tatsachen auf Formblätter anzugeben sind und daß der zuständige Bundesminister durch Rechtsverordnung mit Zustimmung des Bundesrates diese bundeseinheitlich festlegen kann. Im Bereich des Bundesausbildungsförderungsgesetzes hat es die Verwaltung mit einem besonders mobilen Kreis von Antragsberechtigten zu tun. Daher ist der Weg eingeschlagen worden, bundeseinheitlich Formulare zu schaffen für die Sozialleistungen an Schüler und Studenten.Im allgemeinen ist im Hinblick auf die Selbstverwaltung der Leistungsträger im Rahmen des Sozialgesetzbuchs mit dem Vorschreiben bundeseinheitlicher Formulare Zurückhaltung geübt worden; dies gilt auch im Hinblick auf die Verwaltungshoheit der Länder . Vielleicht ist mit dieser von mir hier angesprochenen Vorschrift ein Ansatz gegeben, der sich weiter entwickeln läßt.

In dem neuen Verwaltungsverfahrensrecht ist die Ermittlungsmöglichkeit der Behörden erweitert worden. Wenn ei-

---

18) BGBl I 1975, Seite 3o15

ne Zeugenaussage oder die Erstattung von Gutachten zur Entscheidung der Behörde über eine Sozialleistung unabweisbar ist, dann besteht nach dem neuen Recht die Pflicht zur Aussage oder zur Gutachtenerstattung vor der Behörde[19]. Die Einräumung des Rechts an Behörden, Zeugen zu vernehmen und sich Gutachten erstatten zu lassen, beruht auf dem Gedanken, daß die Sachaufklärung so umfassend wie möglich durch die Behörde durchgeführt wird. Das Ziel ist auch hier die sachlich richtige Entscheidung. Als Rationalisierungswirkung ist angestrebt, daß sich die Rechtsstreitigkeiten vor Gericht aufgrund eines umfassender aufgeklärten Sachverhaltes verringern werden.

Nicht selten muß vor Erlaß eines Verwaltungsaktes die Amtshilfe einer anderen Stelle eingeholt werden. Hier normiert das neue Verwaltungsverfahrensrecht hergebrachten Grundsätze über die Amtshilfe. Im Gesetzesentwurf ist bestimmt, daß eine Behörde eine andere um Amtshilfe dann ersuchen kann, wenn sie die Amtshandlung nur mit wesentlichen größerem Aufwand vornehmen könnte als die ersuchte Behörde[2o]. Arbeitsersparnis ist also eines der wesentlichen Motive der Amtshilfe. Im Gegenzug wird die ersuchte Behörde aus Gründen der Arbeitsersparnis davor geschützt,in Anspruch genommen zu werden, wenn sie die Hilfe, wie es im Gesetzentwurf heißt, nur mit unverhältnismäßig großem Aufwand leisten könnte[21]. Die ersuchte Behörde braucht Hilfe ferner nicht zu leisten, wenn eine andere Behörde die Hilfe wesentlich einfacher oder mit wesentlich geringerem Aufwand leisten könnte[22]. Auch hier ist der Gesichtspunkt der Arbeitsersparnis maßgebend.

---

19) §21 Abs.3 Satz 2 E

2o) § 4 Abs. 1 Nr. 5 E

21) § 4 Abs. 3 Nr. 2 E

22) § 4 Abs. 3 Nr. 1 E

Um Verrechnungen zu ersparen, hat die ersuchende Behörde für die Amtshilfe keine Verwaltungsgebühr zu entrichten. Auslagen hat sie der ersuchten Behörde auf Anforderung zu erstatten, wenn sie im Einzelfall 50 Deutsche Mark übersteigen. Bei der Amtshilfe zwischen Sozialversicherungsträger wird diese Freigrenze sogar 150 DM betragen. Ferner wird den Trägern erlaubt, abweichende Vereinbarungen über die Kostenregelung zu treffen, z.B. Pauschalisierungen[23].

Zwei Fälle von Rationalisierungsansätzen sind unter "Sonstiges" einzuordnen. Werden bei einer Behörde in einer fremden Sprache Anträge gestellt, oder Eingaben, Belege, Urkunden oder sonstige Schriftstücke vorgelegt, so soll die Behörde unverzüglich die Vorlage einer Übersetzung verlagen. So lautet die entsprechende Stelle im Verwaltungsverfahrensgesetz der inneren Verwaltung[24]. Fremdsprachige Anträge sind im Bereich der Sozialverwaltung im Hinblick auf die zahlreichen ausländischen Arbeitnehmer in unserem Lande zum Teil ein Massengeschäft, und die Leistungsträger sind auf die Bearbeitung fremdsprachiger Schriftstücke nicht selten spezialisert. Daher ist im Verwaltungsverfahrensrecht des Sozialgesetzbuchs das Gebot an die Behörde, sie solle bei der Vorlage eines fremdsprachigen Antrags eine Übersetzung verlangen, eingeschränkt. Es gilt nur, sofern die Behörde nicht in der Lage ist, Anträge oder Schriftstücke in der fremden Sprache zu verstehen[25]. Durch den Verzicht auf eine Übersetzung werden dem Können der Verwaltung Rechnung getragen und überflüssige, zeitraubende und kostenspielige Arbeiten vermieden.

Von erheblicher Bedeutung ist der letzte Fall, der im

---

23) § 7 Abs. 1 E
24) § 23 Abs. 2 VwVfG
25) § 19 Abs. 2 Satz 1 E

Laufe des Gesetzgebungsverfahrens noch entschieden werden muß.

Der Bundesrat hat beim ersten Durchgang des Gesetzentwurfs eine Änderung der Reichsversicherungsordnung beschlossen. Danach sollen die Landesverbände der gesetzlichen Krankenkassen ihre Mitgliedskassen unterstützen durch Vereinheitlichung der elektronischen Datenverarbeitung im Verbandsbereich, insbesondere durch Schaffung und Betrieb von Rechenzentren. Zur Begründung führt der Bundesrat aus, mit dieser Gesetzesvorschrift werde die bisher fehlende rechtliche Grundlage für eine Vereinheitlichung der EDV auf Verbandsebene im Bereich der Krankenkassen geschaffen. Sie sei im Interesse einer sparsamen und wirtschaftlichen Mittelverwendung nicht nur wünschenswert, sondern dringend notwendig[26].

Die Bundesregierung hat sich in ihrer Gegenäußerung dieser Argumentation nicht angeschlossen. Sie hat vorgeschlagen, den Landesverbänden der Krankenversicherung lediglich das Recht der Koordinierung der automatischen Datenverarbeitung einzuräumen, insbesondere mit dem Ziel einer Abstimmung der Datenverarbeitungssysteme sowie bei der Schaffung und dem Betrieb von Rechenzentren. Zur Begründung führt die Bundesregierung aus, in die Entscheidungsfreiheit der einzelnen Krankenkassenträger solle nicht eingegriffen werden. Es solle aber die Möglichkeit bestehen, nichtkompatiblen und unwirtschaftlichen Insellösungen entgegenzuwirken. Mit dieser Vorschrift könnten die Verbände gleichwohl automatische Datenverarbeitung, auch für ihre Mitgliedskassen betreiben, wie sie durch die zuständigen Gremien beschlossen würden. Hinter den Vorstellungen des Bundesrates verbirgt sich die Auffassung, daß zentrale Datenverarbeitung wirtschaftlicher sei.

---

26) BT-Drucks. 8/2034, Seite 54, Nr. 45

Die Gegenäußerung der Bundesregierung beruht u.a. darauf, daß auch kleinere Einheiten auf dem Gebiet der EDV im Hinblick auf die neueren Entwicklungen rentabel sind. Von Seiten der Krankenkassen ist dieser Gesichtspunkt in mehreren Schreiben ausdrücklich unterstrichen worden. Die Bundesregierung will der Entscheidung "vor Ort" nicht durch den Gesetzgeber vorgreifen. Der Bundestag muß nunmehr eine Entscheidung hierüber treffen. Der Bundesrat wird dann im zweiten Durchgang mit dieser wesentlichen Frage befaßt sein. Es ist zu hoffen, daß er dann von seiner Auffassung, wonach größere Rechenanlagen beim Verbande aus Gründen der Sparsamkeit und Wirtschaftlichkeit dringend notwendig sein, abweicht.

In einer erheblichen Zahl von Vorschriften hat der Rationalisierungsgedanke unmittelbar Ausdruck gefunden. Das Bemühen, der Verwaltung überflüssige Arbeit zu ersparen, hat darüber hinaus von Anfang an und in allen Normen bei der Ausarbeitung des Entwurfs eine Rolle gespielt. In den genannten Fällen ist der Rationalisierungsgedanke konkret sichtbar geworden. Seit 1975 stand das Bundesarbeitsministerium in Kontakt mit den Verbänden der Träger und den zuständigen Länderministerien. Die hier dargelegten Vorschriften sind z.T. das Ergebnis von schwierigen Abwägungen. Die Erwartungen richten sich darauf, daß sie sich in der Praxis bewähren. Zuversicht ist erlaubt, da der Entwurf auch hier auf langjähriger Erfahrung der Praxis aufbaut und die dort gewonnenen Erkenntnisse vorsichtig weiterentwickelt.

RECHTSTATSACHEN ZUR FUNKTION DES WIDERSPRUCHS- UND GERICHTSVERFAHRENS BEI TYPISIERENDEN MASSENVERWALTUNGEN (RENTENVERSICHERUNG)[1)]

Von Dr. Ulrich Horn, Kassel

1 Einleitung

In einer von der Stiftung Volkswagenwerk geförderten einjährigen Voruntersuchung hat die Forschungsgruppe Verwaltungsautomation der Gesamthochschule Kassel Rechtstatsachen zum Verwaltungs-, Widerspruchs- und Gerichtsverfahren im Bereich der Rentenversicherungsträger erhoben[2)]. Einige der ermittelten Ergebnisse sollen hier referiert werden[3)]. Der Schwerpunkt der Analyse wird darin liegen, das Spannungsfeld zwischen Massenverwaltung, Verwaltungsautomation und Rechtsschutzposition des Verwaltungsklienten transparenter zu machen.

2 Rechtstatsachen zur Funktion des Widerspruchsverfahrens

Nach herkömmlichem Verständnis dient das verwaltungsinterne Vorverfahren 2 Zielen: der Fehlerbereinigung und

---

1) Referat anläßlich der Jahrestagung 1979 der Gesellschaft für Rechts- und Verwaltungsinformatik

2) Grimmer, K./Heußner, H./Horn, U./Karlsen, Th./Lenk,K.: Rechtsverwirklichung bei strikt geregeltem Verwaltungshandeln. Eine Voruntersuchung aus dem Bereich der gesetzlichen Rentenversicherung. Heft 16 der Schriftenreihe der Forschungsgruppe Verwaltungsautomation, Kassel, Dezember 1978 (im folgenden mit dem Titel zitiert)

3) Um Mißverständnissen vorzubeugen, sei herausgestellt, daß die hier mitgeteilten Ergebnisse nicht beanspruchen, repräsentativ für die deutschen Rentenversicherer zu sein.
Unter den 22 Trägern haben wir in einigen Anstalten einige Arbeitsgebiete punktuell untersuchen können. Zum Umfang und der Methodik der Untersuchung vgl. den vorstehend genannten Bericht, S. 14 ff.

der Selbstkontrolle der Verwaltungsarbeit durch eine zweite Verwaltungsstelle.

Die Fehlerbereinigung soll dazu dienen, einfache Verwaltungsversehen zu korrigieren. Es soll eine verwaltungsseitige Überprüfung stattfinden, bevor der Weg zum Gericht beschritten werden kann.

Bis 1975 hatte es diese Möglichkeit bei unserem Untersuchungsgegenstand - den Rentenstreitigkeiten - nicht gegeben, vielmehr mußte der Verwaltungsklient unmittelbar gegen den Bescheid klagen. Da dies zu einer starken Arbeitsbelastung der Gerichte führte, entschied der Gesetzgeber, auch hier ein Vorverfahren zu installieren[4]. Denn - so die Gesetzesmotive - gerade in Bereichen, in denen schon durch die Vielzahl der Bescheide und die zunehmende Mechanisierung Fehlerquellen unvermeidlich seien, müsse es dem Versicherten möglich sein, eine Berichtigung seines Bescheides zu beantragen, ohne gleich gerichtliche Hilfe in Anspruch nehmen zu müssen. Hierdurch sei eine Filterwirkung zu erwarten, die letztlich zu einer Entlastung der Sozialgerichtsbarkeit führen würde[5].

Die intendierte Arbeitsverlagerung trat ein: die Sozialgerichte wurden beträchtlich entlastet und den Rentenversicherungsträgern kam eine große Menge zurücklaufender Bescheide ins Haus. Ein Zahlenvergleich mag dies verdeutlichen: nach der Ausweitung der Widerspruchsmöglichkeit stieg die Zahl der Widersprüche von ca. 15 000 (1974) auf ca. 77 000 (1976)[6]. Auf Grund unserer eigenen Unter-

---

4) Gesetz zur Änderung des Sozialgerichtsgesetzes (SGG) vom 3o.Juli 1974 (BGBl. I S. 1625)

5) Bundestags-Drucksache VII/861, S. 9 zu Nr. 5

6) Vgl. Arbeits- und Sozialstatistik, Hauptergebnisse 1977, herausgegeben vom Bundesminister für Arbeit,Bonn 1977,S.188,189 (die Zahlen beziehen sich auf die Rentenversicherung der Arbeiter u. Angestellten)

suchung läßt sich sagen, daß es neben den offiziell erfaßten rund 77 000 noch ca. 100 000 weitere Widersprüche gegeben hat, so daß die Gesamtzahl der zu bearbeitenden Widersprüche bei ca. 177 000 im Jahr 1976 gelegen hat[7].

2.1 Die Funktion der Fehlerbereinigung

Das Widerspruchsverfahren dient nicht mehr der okkasionellen Fehlerbereinigung, sondern der Beseitigung von vorprogrammierten Defiziten, die sich aus einer routinisierten, formalisierten und standadisierten Arbeitsorganisation ergeben.

Diese Behauptung soll durch zwei Beispiele belegt werden.

2.1.1 Sachverhaltsermittlung (Kontenklärung)

In der RVO - § 1613 Abs. 3 Satz 1 - heißt es lapidar: "Die Versicherungsanstalt stellt den Sachverhalt klar". Ergänzend bestimmt § 1325 Abs. 3 RVO:"... (die Versicherungsträger) haben darauf hinzuwirken, daß alle für die Rentenberechnung erforderlichen Angaben gesammelt und gespeichert werden." Dieses Amtsermittlungsprinzip (Untersuchungsgrundsatz) ist als Ausprägung des Prinzips der Gesetzmäßigkeit der Verwaltung anzusehen. In seiner Konkretisierung beinhaltet es, daß einer Verwaltungsentscheidung nicht ein vermuteter oder bruchstückhafter, sondern der wirkliche Sachverhalt zugrunde zu legen ist[8].

---

7) Die Ursache liegt darin, daß die BMA-Statistik die Widersprüche erst beim Eingang in der Widerspruchsstelle erfaßt. Wie noch zu zeigen sein wird, gelangen jedoch 50 % aller Widersprüche nicht bis zu dieser Verwaltungsstation, sondern finden im Vorfeld durch Abhilfe und Rücknahme bereits ihre Erledigung.

8) Näher hierzu Friedrich E. Schnapp, Pflichten des Leistungsträgers im sozialrechtlichen Verwaltungsverfahren; in: Die Angestelltenversicherung, Heft 12, 1978 (S. 538-545); Fortsetzung in Heft 1, 1979 (S. 9 -15), S. 543

Bei der Rentenfestsetzung ergibt sich der Entscheidungssachverhalt aus einer retrospektiven Betrachtung des Versicherungsverlaufes des Rentenbewerbers. Er setzt sich aus einer Fülle von Einzeltatsachen und rechtlichen Bewertungen zusammen. Diese notwendigerweise umfangreiche Aufbereitung des Sachverhalts erfolgt in der Verwaltungspraxis in mehreren Stufen. Der Einsatz des Arbeitsmittels EDV ist den Versicherungsträgern hierbei ausdrücklich vorgeschrieben (§ 1325 Abs. 3 RVO). In einem ersten Arbeitsschritt werden die beim Versicherungsträger vorhandenen Unterlagen maschinell gespeichert. Ein Auszug aus dem so erstellten Versicherungskonto wird dann dem Versicherten übersandt, damit er den ermittelten Versicherungsverlauf erforderlichenfalls berichtigen und ergänzen kann. Kern der Sachverhaltsermittlung bildet also ein dialogischer Prozeß zwischen Verwaltung und Klient.

Die Rechtswirklichkeit weist nun aus, daß diese für die Erstellung der Bescheidgrundlage notwendige Kommunikation in vielen Fällen nicht zustande kommt. Die Beteiligungsquote der Versicherten liegt bei manchen Anstalten nur bei 6o %[9], was bedeutet, daß ca. 4o % aller Konten im tatsächlichen als tendenziell ungeklärt angesehen werden müssen.

Während einige Anstalten diese Situation dadurch in den Griff zu bekommen suchen, daß sie die Versicherten in einem besonderen Mahnschreiben an die Wichtigkeit ihrer Mitwirkung erinnern, behandeln andere Anstalten die Konten nach Ablauf von 3 Monaten so,als seien sie geklärt. Ausgehend von dieser Fiktion wird das Konto dann bei der Bescheiderstellung entsprechend herangezogen. Da über die fehlende Mitwirkung des Versicherten kein Vermerk gemacht wird, ist für den Sachbearbeiter bei

9) Vgl. eine entsprechende Pressemitteilung der BfA (Frankfurter Rundschau v. 5. Febr. 1978)

der Bescheidabfassung nicht ersichtlich, ob der Versicherungsverlauf tatsächlich geklärt worden ist oder nicht[10].

Es liegt auf der Hand, daß der Bescheid damit tendenziell fehlerhaft wird und dieser vorprogrammierte Fehler zum Ansteigen der Widerspruchszahlen erheblich beiträgt. Kommt der angefochtene Bescheid in die Anstalt zurück, geht es folglich nicht mehr darum, versehentlich unterlaufene Fehler zu korrigieren, sondern solche, die aufgrund einer pauschalen fiktiven Sachverhaltsaufbereitung notwendigerweise entstehen mußten.

Im Zusammenhang mit dem Kontenklärungsverfahren erscheint es notwendig, auf die korrespondierenden Mitwirkungspflichten seitens des Versicherten hinzuweisen. Die in §§ 60 ff SGB-A.T. vorgesehenen Mitwirkungspflichten bedeuten aber keine Einschränkung des Untersuchungsgrundsatzes in der Weise, daß die Verwaltung von ihrer Aufklärungspflicht entlastet wird. Vielmehr bleibt es Aufgabe der Verwaltung, alle entscheidungserheblichen Tatbestände zu ermitteln und den Versicherten gegebenenfalls zu beraten,wie er seinen Mitwirkungspflichten nachkommen kann. In der Rechtswirklichkeit vorfindliche Verwaltungspraxen, die darin bestehen

- den Versicherten zur Klärung des Versicherungsverlaufes zur Auskunfts- und Beratungsstelle vorzuladen[11].
- den Versicherten durch Mahnschreiben an seine ausgebliebene Mitwirkung zu erinnern[12].

zeigen, daß auch in der Verwaltung die Ansicht im Vordringen begriffen ist, daß es nicht richtig sein kann,

---

10) Laut einer Empfehlung des Verbandes Deutscher Rentenversicherungsträger soll zukünftig ein entsprechender Hinweis in das Konto aufgenommen werden.
11) So die LVA Hannover.
12) Dies praktiziert die LVA Oberfranken und Mittelfranken. Die Rücklaufquote erreicht 97,9 %.

sich vorschnell auf ein formelles Leistungsverweigerungsrecht zu berufen, ohne weitere Kommunikationsinitiativen ergriffen zu haben[13].

2.1.2 Sachverhaltsdarstellung (Begründung)

Die behauptete Pauschalierung läßt sich nicht nur bei der Aufbereitung des Sachverhalts feststellen, sondern auch bei der Darstellung der ermittelten Grundlagen gegenüber dem Klienten.

Inhalt und Umfang dessen, was die Verwaltung dem Kunden als Extrakt ihrer Ermittlungen mitteilt, schwanken nicht nur zwischen den einzelnen Anstalten, sondern sind auch vom Rententyp abhängig. Eine generelle Richtschnur ist vom Gesetzgeber jedoch insofern vorgegeben, als er bestimmt, daß die Bescheide begründet werden müssen (§1631 Abs. 1 RVO). Nach allgemeiner Meinung bedeutet dies, daß der Bescheidempfänger über die zugrundegelegten Tatsachen und Schlußfolgerungen soweit zu informieren ist, daß er ihre Stichhaltigkeit kontrollieren und beurteilen kann, ob und mit welcher Begründung rechtliche Schritte eingeleitet werden können[14].

Inwieweit diese Anforderungen in der Praxis erfüllt bzw. nicht erfüllt werden, vermag ein Beispiel aus dem wichtigen Bereich der Berufs- und Erwerbsunfähigkeitsrenten zu zeigen. Jährlich werden rund 4oo.ooo Anträge auf diese Rentenart gestellt, wobei ca. 1oo.ooo Antragsteller abschlägig beschieden werden[15]. Vergleicht man, wie zwei Anstalten innerhalb desselben EDV-Programmierkreises ihre ablehnenden Bescheide zu diesen Rentenanträgen for-

---

13) Vgl. zum ganzen die Darstellung des Kontenklärungsverfahrens in: Rechtsverwirklichung bei strikt geregeltem Verwaltungshandeln, a.a.O., S.61 ff.

14) Wolff-Bachof: Verwaltungsrecht I, 9. Auflage, München 1974, S. 42o.

15) Arbeits- und Sozialstatistik, a.a.O., S.128 f.

mulieren, so ergeben sich gravierende Unterschiede, die sich auf die eingesetzten Arbeitsmittel zurückführen lassen.

Während die kleinere Anstalt ihre Ablehnungen manuell erstellt, fertigt die große Anstalt ihre Bescheide mittels Textbausteinen maschinell. Um zu zeigen, inwieweit sich die Ergebnisse unterscheiden, sollen hier die Formulierungsschablonen auf einen konkreten Rentenantrag aus dem Jahre 1978 projiziert werden. Ausweislich des ärztlichen Gutachtens, das vom prüfärztlichen Dienst der Versicherungsanstalt anerkannt worden war, litt die Rentenbewerberin, eine Friedhofsarbeiterin, u.a. an folgenden Beschwerden:

1. Herzleistungsminderung
2. Blutdruckerhöhung
3. Verlust der rechten Niere
4. Verlust des rechten Auges
5. Sehminderung von 40 % auf dem verbliebenen linken Auge

Übereinstimmend war man der Meinung, daß die bisher ausgeübte Friedhofsarbeit als zu schwer anzusehen, daß aber eine vollschichtige Beschäftigung noch möglich sei, sofern die folgenden Einschränkungen beachtet würden:

leichte Arbeiten, ohne Wechselschicht, ohne besonderen Zeitdruck

ohne häufiges Bücken, ohne häufiges Klettern oder Steigen

ohne Absturzgefahr, nicht an laufenden Maschinen

ohne Anforderungen an das räumliche und scharfe Sehvermögen

ohne Gefährdung durch starke Temperaturschwankungen.

Im Formularbescheid der kleineren Anstalt lassen sich die vorstehend aufgelisteten Daten wiederfinden. Sie werden maschinenschriftlich in zwei entsprechende Rubriken des Bescheides eingefügt:

"Die medizinische Untersuchung hat im wesentlichen folgendes ergeben ...
Daraus ergibt sich folgendes Leistungsvermögen ...
Mit diesem Leistungsvermögen sind Sie nicht berufsunfähig." Der per Textbaustein erstellte EDV-Ausdruck der größeren Anstalt enthält demgegenüber den folgenden Text: "Nach den getroffenen Feststellungen besteht weder Berufsunfähigkeit, noch Erwerbsunfähigkeit. Die Erwerbsfähigkeit ist nicht in dem Maße gemindert, daß auf dem allgemeinen Arbeitsmarkt eine Tätigkeit nicht mindestens vollschichtig ausgeübt werden könnte. Weitere Einschränkungen, die ursächlich für ein verschlossenes Arbeitsfeld wären, liegen nicht vor."

Welche Feststellungen getroffen worden sind,wird dem Versicherten hier nicht mitgeteilt. Alle individuellen Merkmale werden ausgeklammert und der vom Gutachter und dem prüfärztlichen Dienst in Detailarbeit ermittelte Sachverhalt wird somit auf ein Ergebnis reduziert, das in seiner Allgemeinheit auf alle anstehenden Entscheidungsfälle dieses Rententypus verwendbar ist.

Eine rechtliche Bewertung dieses Bescheidinhaltes, die hier nicht ausgeführt werden soll[16], erweist eindeutig dessen Rechtswidrigkeit. Interessant ist in diesem Zusammenhang, daß die Entscheidung, derart ungenügende Verwaltungsprodukte zu versenden, in jedem Einzelfall von einem Volljuristen getroffen wird. Nicht etwa der Sachbearbeiter entscheidet über die Formulierung, sondern dieser trägt nur die vom Referenten bereits handschriftlich vermerkte EDV-Schlüsselzahl in den EDV-Eingabebogen ein.

---

16) Siehe Rechtsverwirklichung bei strikt geregeltem Verwaltungshandeln, a.a.O., S. 4o ff.

Berücksichtigt man, von welcher existentiellen Bedeutung für den einzelnen die Gewährung bzw. Versagung einer Rente ist, so erscheint plausibel, daß Bescheide mit vorprogrammierten Informationsdefiziten zu Beanstandungen und Rückfragen Anlaß geben und damit das Widerspruchsverfahren erheblich belasten.

2.1.3 Fehlerursachen

Das nachträgliche Auffüllen der selbstgeschaffenen Defizite bringt die Verwaltung in das Stadium des Erstverfahrens zurück. Nur hier lassen sich der allzu summarisch abgeklärte Sachverhalt und die abstrakt gebliebene Begründung auf den zu entscheidenden Einzelfall hin konkretisieren. Welches Volumen diese Arbeit innerhalb des Widerspruchsverfahrens einnimmt, machen Zahlen über die Erledigungsart und Angaben über die Fehlerursachen deutlich.

Nach einer Sondererhebung des Verbandes Deutscher Rentenversicherungsträger (VDR) erledigen sich 50 % aller eingelegten Widersprüche im Wege der Abhilfe/Rücknahme. Im Verwaltungsablauf bedeutet dies, daß jeder zweite Widerspruch überhaupt nicht mehr zu der vorgesehenen Kontrollstelle – dem Widerspruchsausschuß – gelangt, sondern bereits vom Sachbearbeiter/Referenten des Erstbescheides korrigiert bzw. ergänzt wird.

Aufgrund von eigenen empirischen Untersuchungen, die durch Erfahrungsberichte anderer Anstalten bestätigt worden sind[17], erweist sich, daß der Schwerpunkt der Abhilfen

---

17) Vgl. Helmut Kaltenbach, Neuordnung des Widerspruchsverfahrens – Ein Erfahrungsbericht – in: Die Angestelltenversicherung 12/1976, S. 427 – 431, S.431; sowie Friedrich Rückels, Bericht zur Arbeitslage der Widerspruchsstelle, in: Amtl. Mitteilungen der LVA Rheinprovinz, 7/77, S. 284 – 288; S. 285

darin liegt, nicht berücksichtigte Versicherungszeiten nachträglich anzuerkennen. Die im Wege der Abhilfe endgültig geklärten Widersprüche machen ca. 35 % der Erledigungen aus. Diese Menge führte zu der öffentlich gestellten - wenn auch als "ketzerisch" empfundenen - Frage, ob man nicht durch eine verbesserte Sachaufklärung zu richtigen Ergebnissen hätte kommen können.[18)]

Ähnliches gilt für die Rücknahme des Widerspruches durch den Versicherten, die in 15 % der Fälle den Grund für die Erledigung darstellt. Hier war, wie man zutreffend feststellt, der Bescheid "ja im Ergebnis richtig, aber unvollständig, falsch oder nur irreführend begründet".[19)] Erst die nachträglich erfolgte Einzelinformation, die weitere Aufklärung über Sachverhalt und Rechtslage, vermögen den Widerspruchsführer von der Richtigkeit des Bescheides zu überzeugen.

2.2 Die Funktion der Selbstkontrolle

Nach den bisherigen Ausführungen steht fest, daß die dem Widerspruchsverfahren wesenseigene Kontrolle durch eine 2. Verwaltungsstelle nur einen Teil der Widersprüche erfaßt. Wie dargelegt, bleiben 50% der Widersprüche von vorneherein in der ersten für den Verwaltungsakt verantwortlichen Verwaltungsstelle hängen und speisen dort einen In-sich-Prozeß. Inwieweit sich aus der vorgefundenen Rechtswirklichkeit Angaben über die Funktion der Widerspruchsstelle bezüglich der anderen 5o % der Widersprüche machen lassen, soll im folgenden geschildert werden.

---

18) Walter Berger, Kritische Anmerkungen zur Ausdehnung des Widerspruchsverfahrens im Sozialrecht; in: Die Sozialversicherung, 1978, S. 1oo - 1o1; S.1o1

19) ebenda

Entgegen der sonstigen Tendenz, die Entscheidungsfreiräume der Sozialleistungsträger durch staatliche Regelungsprogramme einzuengen, so daß man schon konstatiert, im Kern gäbe es keine Selbstverwaltung mehr[2o], hat es der Gesetzgeber bei der Novellierung des Vorverfahrens der Selbstverwaltung unmittelbar überlassen, wie sie die Ausgestaltung der Widerspruchsstelle vornehmen will (§ 85, Abs. 2, Zif. 2SGG).[21] Der Staat hat damit den Selbstverwaltungsgremien eine große Chance zur Eigeninitiative eingeräumt. Zu recht war man daher der Ansicht, daß die Vertreterversammlung es in der Hand hätte, "die Voraussetzungen für ein qualitativ gutes Widerspruchsverfahren zu schaffen."[22]
In der Praxis bestimmt sich die Errichtung der Widerspruchsstellen sowie die Regelung ihres Geschäftsganges bei den meisten Versicherungsanstalten nach Geschäftsordnungen, die mit einer Mustergeschäftsordnung des Verbandes Deutscher Rentenversicherungsträger vom November 1974 übereinstimmen.

Die Widerspruchsstelle besteht in der Regel aus einem Ausschuß, der mit drei Personen besetzt ist. Zwei hiervon sind Laien,- je ein ehrenamtliches Mitglied der Versicherten und der Arbeitgeber - die dritte vertritt als beamtetes Mitglied (Widerspruchsreferent) die Verwaltung. Die Abstimmung im Ausschuß erfolgt mehrheitlich, so daß die Verwaltung -theoretisch- überstimmt werden kann.

2o) Wilhelm Wertenbruch, Gibt es noch Selbstverwaltung im Sozialrecht? in: SGb 1975, S. 261 (264 ff.)

21) Zu den rechtlichen Grenzen dieser Gestaltungsfreiheit vgl. Anlage I zu: Rechtsverwirklichung bei strikt geregeltem Verwaltungshandeln, a.a.O.

22) Karl Fechner, Erfahrungen mit dem erweiterten Widerspruchsverfahren; in: Mitteilungen der LVA Berlin, Heft 7/1976, S. 185 - 187; S. 186

Mit dieser Reform des Widerspruchsverfahrens verband der Gesetzgeber die Hoffnung, "das Verhältnis des Versicherten zu dem Versicherungsträger zu verbessern, also die Einrichtung der Selbstverwaltung zu stärken"[23]. Folgende Indizien scheinen vorerst dafür zu sprechen, daß die zweifache Zielvorstellung momentan noch nicht erreicht worden ist.

2.2.1 Einbindung in die allgemeine Verwaltung

Die Verwaltung hat generell ein Stimmrecht im Ausschuß (nur bei drei Anstalten ist dies nicht der Fall). Der Verwaltungsvertreter - in der Regel Volljurist - erläutert den Sachverhalt und legt einen fertig formulierten Entscheidungsvorschlag vor.

Die Arbeit des Ausschusses ist nicht nur an Gesetz und Recht gebunden, sondern unterliegt auch den allgemeinen Verwaltungsanweisungen der Verwaltung. Die Verwaltung hat es damit in der Hand,das Entscheidungsverhalten des Ausschusses ganz erheblich vorzubestimmen. Ein empirisch ermitteltes Beispiel mag dies verdeutlichen. In den ersten zwei Jahren nach der Novellierung hatten viele LVAs die Strategie, Widersprüche nicht zu entscheiden, sondern sie unerledigt an das Sozialgericht weiterzuleiten. Die rechtlich-formale Möglichkeit hierzu bot die Berufung auf § 85, Abs. 4 SGG. Während einige Anstalten dies sehr restriktiv handhabten (Weiterleitungsquote bei der BfA: 0,3 %),reichten andere Träger bis zu 36 % an die Gerichte weiter. Als von dort schließlich geharnischter Protest in die Öffentlichkeit getragen wurde, weil man sich um die Früchte der Novellierung gebracht sah,[24] wies die Verwaltung die Widerspruchsaus-

23) BT-Drucksache VII/861
24) Vgl. beispielsweise die Ausführungen von H.Krause: "Das Widerspruchsverfahren ist eine Farce" in: SGb 1976, S. 491

schüsse an, das Spruchverhalten zu ändern. Von heute auf morgen sank die Abgabequote daraufhin von 36 % auf 2 %, ein Beleg dafür, daß die den Ausschüssen belassenen Entscheidungsspielräume relativ eng zu sein scheinen.

2.2.2 Spruchpraxis

Im Widerstreit zwischen dem verwaltungsgebundenen und dem nicht-verwaltungsgebundenen Sachverstand obsiegt die Verwaltung in 96 % aller Fälle. Nur 4 % der Verwaltungsfabrikate werden vom Ausschuß bemängelt und ganz oder teilweise aufgehoben. Eine Beobachtung aus der Praxis, wonach die Ausschüsse bei ihrer Entscheidung mit wenigen Ausnahmen dem Entscheidungsvorschlag der Verwaltung folgen[25), läßt sich damit uneingeschränkt bestätigen.

2.2.3 Verstärkte Professionalisierung und Automatisierung des Bescheidtextes

Um den starken Arbeitsanfall zu rationalisieren, geht die allgemeine Tendenz dahin, jetzt auch den Widerspruchsbescheid über EDV mittels Textbausteinen zu erstellen. Inwieweit die Selbstverwaltung hier korrigierend auf Inhalt, Verständlichkeit und Umfang des Textes Einfluß nehmen kann, bleibt abzuwarten. Die Gefahr, daß man hier in der Kontrollstation, wo eine Einzelfallentscheidung getroffen und begründet werden soll, auf pauschalisierende Leerformeln zurückgreift, liegt auf der Hand.
Die Vorstellung, den angefochtenen entindividualisierten Bescheid, dessen abstrakte Fassung zu einem großen Teil für die Widerspruchsflut verantwortlich ist, mit einem Bescheid auf ähnlichem Abstraktionsniveau zu beantworten, entbehrt nicht einer grotesken Logik.

---

25) Siehe die Feststellung von Rückels, a.a.O., S.286.

2.2.4 Versichertenkontakt

Von der Möglichkeit, den Versicherten in das Verfahren miteinzubeziehen, wird so gut wie kein Gebrauch gemacht. Der Kontakt beschränkt sich lediglich auf die schriftliche Form des Bescheides. Da dieser aber, wie erwähnt, von der Verwaltung bereits vorformuliert ist, dürfte die erwartete unprofessionelle Betrachtungsweise durch die Laienelemente im Ausschuß sich wohl nur wenig auswirken. Ein abweichendes Verfahren wird lediglich von der LVA Oldenburg-Bremen praktiziert. Hier werden die Widerspruchsführer zu einem Erörterungstermin mit dem Widerspruchsreferenten geladen. Diese Termine finden jeweils vor den Verhandlungen der Widerspruchsausschüsse statt. Aufgrund der Erörterung nehmen viele Widerspruchsführer ihren Rechtsbehelf zurück. Die mit der Anhörung des Widerspruchsführers gemachten guten Erfahrungen belegen, daß dieses Vorgehen nicht nur der Befriedungsfunktion, sondern auch der Präferenz der Rechtsunterworfenen für mündliche, auf Ermittlung angelegte Verfahren entgegenkommt[26].

Die Abhängigkeit der Effektivität der Konfliktregelung von der Art der Vorverfahrensform macht ein Zahlenvergleich der LVA Oldenburg-Bremen mit der LVA Westfalen für das Jahr 1976 deutlich.

Während bei der LVA Westfalen 15 % der Widerspruchsführer ihren Widerspruch zurückgenommen haben, waren es bei der LVA Oldenburg-Bremen 4o %. Klage gegen den Widerspruchsbescheid erhoben in Westfalen 36 % der Beschwerdeführer, in Oldenburg lediglich 12 %[27].

---

26) Vgl. Wolfgang Kaupen, Das Verhältnis der Bevölkerung zur Rechtspflege,in: Jahrbuch für Rechtssoziologie u. Rechtstheorie, Band 3, 1972, S. 558

27) Rechtsverwirklichung bei strikt geregeltem Verwaltungshandeln, a.a.O., S. 28

2.2.5 Kontrolle der Verwaltung

Ob und wie die Selbstverwaltung über die gegen die Verwaltung entschiedenen Einzelfälle (4 %) hinaus in die Arbeit der Administration korrigierend hineinwirkt, läßt sich zur Zeit noch nicht sagen. Fest steht nur, daß beispielsweise die aufgezeigten strukturellen Mängel des Erstbescheides von der Selbstverwaltung nicht korrigiert worden sind. Ähnlich wie in der Verwaltung selbst, scheint auch hier eine Blickverengung vorhanden zu sein. Als bezeichnend hierfür kann eine Abhandlung von kompetenter Seite angesehen werden, die unter dem programmatischen Titel " Die Untersuchung von Fehlerursachen im Versicherungs- und Rentenverfahren" an keiner Stelle in Erwägung zieht, daß die aufgelisteten Fehler auch in der EDV-Programmstruktur begründet liegen könnten[28].
Zu untersuchen wäre auch, inwieweit sich der innerhalb der Verwaltung vorfindliche Glaube an die Unveränderbarkeit von EDV-Programmen auf die Selbstverwaltung übertragen hat. Wenn selbst von Verwaltungsjuristen die Ansicht vertreten wird, Bescheidtexte ließen sich deswegen nicht ändern, weil ihr Text innerhalb des EDV-Programmierkreises verbindlich festgelegt sei - was nicht zutrifft - so wäre eine entsprechende Computereinstellung unter Laien wenig überraschend.

3 Rechtstatsachen zur Funktion des Gerichtsverfahrens

Die besonderen Aufgaben, die sich bei der gerichtlichen Überprüfung eines EDV-gefertigten Bescheides ergeben, sind hinlänglich beschrieben. Wird ein Bescheid angefochten, so hat das Gericht als ersten und wichtigsten Schritt zu untersuchen, ob das Programm eine adäquate

---

28) Ulrich Münz, Die Untersuchung von Fehlerursachen im Versicherungs- und Rentenverfahren; in: Deutsche Rentenversicherung 5/1978, S.3o4 - 315.

Übersetzung des normativen Textes darstellt. Hierbei hat es zunächst den normativen Text selbst zu interpretieren und dann die Adäquanz zwischen Interpretation und Programm zu klären[29].

Die Frage, ob die hier behandelten Bescheide eine derartige richterliche Bewertung erfahren haben, muß nach dem bisherigen Stand unserer Untersuchung verneint werden. Der oben skizzierte EDV-Bescheid zur Berufsunfähigkeit wird seit 1977 eingesetzt. Da dieser Bescheid den Ausgangspunkt für über 7o % aller gegen die untersuchte Versicherungsanstalt gerichteten Klagen bildet, hat er den betreffenden Sozialgerichten in zahlreichen Verfahren vorgelegen. Gleichwohl ist die mangelnde Normumsetzung in der Bescheidfassung weder formell noch informell beanstandet worden. Die Folge ist, daß der Bescheid von der betreffenden Anstalt in unveränderter Form weiterhin täglich zum Einsatz gebracht wird.

Diese Tatsache, die den an die Geltungskraft des gesetzten Rechtes und das Funktionieren des Sanktionensystems glaubenden Juristen enttäuschen muß, hat vielfältige Ursachen.

Der Gesetzgeber hat der Verwaltung für den Gesetzesvollzug eine ganze Reihe von zu beachtenden Formvorschriften auferlegt. Die Nichtbeachtung dieser Bestimmungen durch die Verwaltungsbehörde führt - abhängig von der Schwere des Verstoßes - zur Nichtigkeit oder Aufhebbarkeit des betreffenden Verwaltungsaktes. Letzteres gilt ausnahmsweise nur dann nicht, wenn die Verwaltung den Fehler rechtzeitig - d.h. vor Beginn eines Gerichtsverfahrens - korrigiert[3o].

---

29) Adalbert Podlech, Verfassungsrechtliche Probleme öffentlicher Informationssysteme; in: DVR Bd.1, Heft 2/3, September 1972, S. 149-169; S. 16o

3o) Vgl. §§ 4o, 45 VerwVerfG.

Für den hier behandelten Fall der Verletzung der Begründungspflicht bedeutet dies, daß die erforderliche Begründung bis zur Klageerhebung nachgeholt werden kann.[31]

Somit erhält die Verwaltung die Möglichkeit, Fehler korrigieren zu können, bevor externe Kontrollmaßnahmen eingreifen. Diese vom Gesetzgeber als Ausnahmevorschrift gedachte Bestimmung scheint in der Rechtswirklichkeit zu einer gewissen Arbeitsmaxime der Massenverwaltung zu werden. Da Sanktionen nicht zu befürchten sind, kann zunächst mehr auf die Quantität des Verwaltungshandelns abgestellt werden, die gesetzlich geforderte Qualität wird im gerügten Einzelfall dann singulär nachgeliefert. Wendet sich der Verwaltungskunde dann trotz erfolgter Nachbesserung an das Gericht, so hat dieses keine Veranlassung mehr, sich mit dem ursprünglichen Defizit zu befassen.

Dies ändert sich im Ergebnis auch nicht, wenn der Betroffene unmittelbar klagt und die Verwaltung somit keine Gelegenheit zur Korrektur des Bescheides erhält. Von dieser im Sozialrecht bestehenden besonderen Möglichkeit der direkten Klage wird[32] - wie die Praxis zeigt - speziell bei Streitigkeiten über die Berufsunfähigkeit Gebrauch gemacht. Der Kläger erspart sich das zeitaufwendige Widerspruchsverfahren und kann seinen Fall dadurch in der Sache fördern, daß es ihm im Prozeß möglich ist, ein Gegengutachten durch einen Arzt seiner Wahl einzubringen (§ 1o9 SGG). Für unseren Gegenstand bedeutet dies, daß die Sozialgerichte also auch mit den unkorrigierten Bescheidfassungen konfrontiert werden und somit eine Kontrollmöglichkeit erhalten.

31) So unter Hinweis auf § 45, VerwVerfG; Meyer-Ladewig, Kommentar zum SGG, Anm. 24 zu §54

32) § 78 Abs. 2 SGG

Daß diese nicht genutzt wird, liegt wohl primär daran, daß die Gerichte das subjektive Rechtsschutzbegehren des Klägers in den Mittelpunkt ihrer Entscheidungstätigkeit stellen. Klageziel ist die geforderte Rente, die Aufhebung des entgegenstehenden Bescheides erscheint demgegenüber nur als technisches Ingredienz.

Diese starke Betonung der inhaltlichen Seite scheint in der Rechtswirklichkeit dazu zu führen, formelle Fragen soweit an den Rand der gerichtlichen Entscheidungstätigkeit zu drängen, daß sie aus dem Blickfeld verschwinden[33].

So vorteilhaft sich das für den einzelnen Kläger darstellt, so nachteilig ist dies für die Masse der Versicherten, da sie Gefahr läuft, in Permanenz mit unzulänglichen Bescheiden bedient zu werden.

Die im Rechtsschutzsystem so signifikant ausgewiesene richterliche Kontrollstelle hinterfragt nicht mehr, welchen Funktionen Formvorschriften im Verhältnis Verwaltung zum Bürger zu erfüllen haben. Die zu recht geforderte Abwägung,[34] ob es diese Funktionen denn zulassen, unter

---

33) Nach der ständigen Rechtsprechung des Bundessozialgerichts führen formelle Fehler für sich alleine nicht dazu, daß der angefochtene Verwaltungsakt isoliert aufgehoben wird ohne inhaltliche Überprüfung.BSGE 24, 134 (136 f.); 26, 177 (179); 27, 146 (148); 28, 73 (74); 42, 268 (271). In der Tendenz anders neuerdings das Urteil vom 9.3.1978; in: SGb 1978, S. 2oo, in dem Formfragen - Verletzung des rechtlichen Gehörs - wieder stärker betont werden. Inwieweit dieses Urteil zu einer Änderung des § 4o Reg. Entwurf für ein sozialrechtliches Verwaltungsverfahren (= 1o.Buch des SGB) führt, bleibt abzuwarten.
Vgl. den Stand der Diskussion bei Peters, Kommentar zum SGB, A.T., Anm. 2 zu § 34.

34) Vgl. von Mutius: Zu den Formerfordernissen automatisierter Verwaltungsentscheidungen, in: Verwaltungsarchiv (Verwarch.) Band 67 (1976), S. 116 ff (12o).

den veränderten Verhältnissen eines automatisierten Gesetzesvollzuges für obsolet erklärt zu werden, findet nicht statt.

Gerade weil Formvorschriften prozeduale Konturierungen von Verfassungsprinzipien darstellen[35)], ist es geboten, ihren Standort im Spannungsfeld Legalität - Praktikabilität zu bestimmen.

Auszugehen ist dabei von den Besonderheiten einer Massenverwaltung. Es schiene weltfremd, diese allein als Normvollzugssystem im Bereich des idealen Sollens und nicht als konkrete Arbeitsorganisation in Raum und Zeit zu begreifen, deren Alltag von drei Dimensionen bestimmt wird 36):

- zunehmende Kompliziertheit des Rechts
- gleichbleibende rechtsstaatliche Forderung nach individueller Bearbeitung
- Begrenztheit von Zeit und Ressourcen

Zu überlegen wird sein, ob Normverletzungen als unvermeidliche Folge einer Verwaltungsvereinfachung in Kauf zu nehmen sind (kalkuliertes Legalitätsrisiko) oder inwieweit Grundsätze des Verfassungsrechtes es erfordern, Praktikabilitätsgewinne zu Gunsten eines rechtsstaatlichen Verwaltungsverfahrens zu korrigieren[37)].

Lösungsansätze in anderen Massenverwaltungen, die den Widerspruch zwischen der zunehmenden Kompliziertheit des Rechts und den rechtsstaatlichen Forderungen nach exakter

---

35) Siehe näher hierzu F.E.Schnapp, a.a.O., S. 538.
36) Vgl. Hans Brinckmann, Rationalisierung der öffentlichen Verwaltung durch Einsatz der EDV. vv. Manuskript Kassel 1978, S. 14
37) Vgl. zum Ganzen: Josef Isensee. Die typisierende Verwaltung. Gesetzesvollzug im Massenverfahren am Beispiel der typisierenden Betrachtungsweise des Steuerrechts, Berlin 1976

Rechtsanwendung einseitig pragmatisch lösen, sollten den Rentenversicherungsträgern in den Kernbereichen ihrer Entscheidungstätigkeit verwehrt bleiben[38].

Denn während andere staatliche Eingriffe (Steuer, Müllabfuhr) mehr oder weniger nur die Peripherie der Existenz berühren,ist bei der Rentenbescheiderteilung die Lebensgrundlage selbst betroffen. Es sollte daher nicht zulässig sein, Verwaltungspraxen,die sich bei EDV- Bescheiden für die Hundesteuer oder Müllabfuhr entwickelt haben, auf die Rentenbescheide zu übertragen.

Faßt man die bisher ermittelten rechtstatsächlichen Befunde noch einmal zusammen, so zeigt sich, daß dem bekannten Dilemma - einerseits hat die Verwaltungsrechtswissenschaft relativ hochstehende Anforderungen an die rechtliche Qualifikation von Verwaltungshandeln entwickelt, die als Konsequenz einer hochstehenden Rechtsstaatlichkeit betrachtet werden können; andererseits werden eben diese Anforderungen von automatisch vollzogenen Entscheidungen nicht erfüllt[39] - noch die weitere Dimension der fehlenden gerichtlichen Kontrolle hinzuzufügen ist.

4 Folgerungen

Die im untersuchten Bereich ermittelten Rechttatsachen erlauben es, von einem Erosionsprozeß staatlicher Legitimität zu sprechen. Die Tatsache, daß jeder zweite Rechtsbehelf letztlich erfolgreich ist, also 5o % der angefochtenen Bescheide korrekturbedürftig waren, zeigt die be-

---

38) Siehe Ulrich Horn, Verwaltungsvereinfachung und Verfassungsrecht. Automatisierte Massenverwaltung zwischen Legalität und Praktikabilität. Vv. Manuskript, Kassel 1978

39) Siehe hierzu Hansjürgen Garstka: Automation rechtlicher Verfahren als Entrechtlichungsprozeß, zur Veröffentlichung in: Jahrbuch für Rechtssoziologie und Rechtstheorie, Band 7

grenzte Qualität der Massenverwaltungsprodukte. Nimmt man hinzu, daß nur 1o % der Bescheidempfänger Kontrollinitiativen ergriffen haben, so steht in Anbetracht der hohen Fehlerquote der Bescheide zu vermuten, daß es unter den 9o %,die sich nicht gerührt haben, zu vielfältigen Rechtsverkürzungen gekommen ist.

Es ist hier nicht der Ort, detaillierte Gestaltungsempfehlungen auszusprechen[4o].

Schwerpunktmäßig soll nur soviel gesagt werden:

1. Es erscheint nicht angängig das Risiko der richtigen Bescheidung dem Versicherten zu überlassen und es allein auf seine Initiative abzustellen - getreu dem tradierten Leitbild vom ius vigilantibus est.
   Die allgemeine Tendenz, Verwaltungsarbeit auf den Bürger zu verlagern[41], darf nicht auf den Rechtsschutzbereich übertragen werden.

2. Der Effektivität von intermediären Instanzen sind Grenzen gesetzt. Abgesehen von den Verbänden ist die professionelle Rechtsberatung im Sozialrecht schlecht, unter anderem deswegen, weil dieses Rechtsgebiet in der Juristenausbildung so gut wie keine Rolle spielt[42].

4o) Vgl. beispielsweise die Thesen zur Bürgernähe der Rentenversicherung von Winfried Schmähle, in: Kommunikation, Technologie, Bürgernähe, Jahrestagung der Stiftung für Kommunikationsforschung vom 9.März 1979, Bonn 1979, S. 72 ff., sowie die Diskussion dazu, ebenda, S. 39 ff.

41) Siehe näher hierzu Klaus Lenk, Implikationen des EDV-Einsatzes für die Qualität von Verwaltungsleistungen. in: ÖVD - Sonderausgabe 1978, S. 22 ff (23).

42) Zur Situation der Rechtsberatung im Sozialrecht vgl. die Äußerungen von Georg Wannagat, Gekürzte Wiedergabe eines Pressegespräches mit dem Präsidenten des Bundessozialgerichtes im Januar 1979; in: Die Angestelltenversicherung 3/79, S. 128/129.

Hier - wie im Steuerrecht - das Feld einer neuen Profession, dem Rentenberater, zu überlassen,erscheint inakzeptabel[43]. Die damit verbundene Kommerzialisierung der Beratung würde neue Zugangsbarrieren dort errichten, wo sie abgebaut werden sollten. Gerade die Letztadressaten sozialrechtlicher Entscheidungen gehören im hohen Maße zu den wirtschaftlich schwachen Bevölkerungsschichten, die sich Recht als Ware kaum leisten können.

3. Will man nicht bei der nachträglichen singulären Korrektur der Auswirkungen stehen bleiben, so erscheint nur eine Maßnahme sinnvoll, die ansetzt, bevor der Output von rechtlich angreifbaren Massenbescheiden beginnt. Gedacht ist an eine präventive Kontrollkompetenz der Gerichte für EDV-Programme, um die Adäquanz der Umsetzung überprüfen zu können[44]. Als gesetzgeberisches Vorbild könnte - und insofern ist der Gedanke nicht neu im Sozialrecht - die frühere Regelung des § 1715 RVO dienen: "Über gesetzliche Vorschriften von grundsätzlicher Bedeutung, deren Auslegung noch nicht festgestellt ist, kann ein Senat des Reichsversicherungsamts, auch ohne daß ihm ein Einzelfall Anlaß dazu bietet, eine grundsätzliche Entscheidung treffen."

4. In diesem - legislativen - Zusammenhang eine abschließende Bemerkung, die zugleich die Anknüpfung zum nächsten Referat bildet:

---

43) Vgl. einen diesbezüglichen Vorschlag von W. Schmähl, a.a.O.

44) Näher hierzu Hermann Heußner, Automation in der Sozialversicherung - Bedrohung oder Nutzen für den Versicherten? in: SGb 1976, S.245 ff.

Im Regierungsentwurf für ein sozialrechtliches Verwaltungsverfahrensgesetz[45] sind Regelungen enthalten, welche die festgestellten Arbeitspraxen der Massenverwaltungen begünstigen. Zu fragen ist, ob mit diesen Verfahrensregelungen, die u.a. einen Abbau der Begründungspflicht für automatisierte Bescheide und die Folgenlosigkeit von Formverstößen festschreiben,[46] die hier aufgezeigten Tendenzen nicht noch weiter verstärkt werden. Ob dies letztlich gewollt sein kann, sollte anhand der hier vorgelegten Ergebnisse überprüft werden.

---

45) Bundesratsdrucksache 17o/78 vom 31.3.1978

46) siehe oben, Anm. 33

ZIELSETZUNGEN UND FOLGEN EINES DV-GESTÜTZTEN GESCHÄFTSBETRIEBS IM ZIVILPROZESS

Von Manfred Weihermüller, Institut für Datenverarbeitung im Rechtswesen der Gesellschaft für Mathematik und Datenverarbeitung mbH Bonn

1. Ausgangslage

Die Rechtspflege in der Bundesrepublik Deutschland erfüllt ihre Aufgabe gegenüber dem rechtsschutzsuchenden Bürger nur unvollkommen. Eine vielfach zu lange Verfahrensdauer gefährdet die Rechtsschutzfunktion des Prozesses und untergräbt das Vertrauen in die Rechtspflege.[1)]

Diesem Übelstand versuchen Gesetzgeber und Justizverwaltungen seit Jahren mit geringem Erfolg abzuhelfen. Änderungen des Verfahrensrechts, der Gerichtsorganisation und Personalvermehrung haben bisher keine durchschlagenden Erfolge gebracht. Ergänzend zu diesen Anstrengungen wird gefordert, alle organisatorischen Möglichkeiten insbesondere auch zur Rationalisierung des Arbeitsablaufs auszuschöpfen.[2)] Im Rahmen dieser Rationalisierungsansätze besteht ein dringendes Bedürfnis, durch Verbesserungen im gerichtlichen Geschäftsbetrieb, durch Rationalisierung und Büroautomation die Effizienz der Gerichte zu steigern. Hierbei muß versucht werden, das knappe Personal von Routinearbeiten zu entlasten, diese zumindest zu erleichtern, um mehr Zeit für den rechtsschutzsuchenden Bürger und seine Anliegen zu haben.
Überlegungen in dieser Richtung wurden im Institut für Datenverarbeitung im Rechtswesen (Leitung Prof. Dr. Dr. Fiedler) der Gesellschaft für Mathematik und Datenverar-

---

1) Gesetzentwurf der Bundesregierung zur Vereinfachungsnovelle BT 7/2729

2) Beschluß der 50. Konferenz der Justizminister und -senatoren vom 29. bis 31.5.1979 - zu Punkt 9 der Tagesordnung

beitung mbH aufgegriffen. In Zusammenarbeit mit dem Hessischen Justizministerium, dem Amtsgericht Wiesbaden und dem Landgericht Frankfurt wurde ein DV-gestütztes System zur Unterstützung des gerichtlichen Geschäftsbetriebs, insbesondere zur Verfahrensverwaltung entwickelt und erprobt. Die hierbei gewonnenen Erkenntnisse sind Grundlage der folgenden Ausführungen.

2. Der gerichtliche Geschäftsbetrieb in Zivilsachen

Die folgende Skizzierung des gerichtlichen Geschäftsbetriebs in Zivilsachen und seiner rechtlichen Grundlagen erhebt keinen Anspruch auf Vollständigkeit. Die grobe Beschreibung soll lediglich dazu dienen, den IST-Zustand des konventionellen Verfahrens soweit darzustellen, daß das folgende DV-Konzept verständlich wird.

Unter gerichtlichem Geschäftsbetrieb fassen wir die Aufgaben zusammen, welche die Verwaltung und Koordinierung von Gerichtsverfahren (hier: Zivilverfahren) betreffen. Hierzu zählen wir u.a.:

- die Registrierung neu eingehender Verfahren,
- die Verteilung der Verfahren auf den zuständigen Spruchkörper (Richter, Kammer, Senat),
- die Festlegung und formelle Vorbereitung von Terminen,
- die Überwachung von Terminen und Fristen,
- die Erstellung von Geschäftsübersichten,
- das Ausfüllen von Zählkarten und
- die Führung und Verwahrung der Akten.

Die VERWALTUNG von Gerichtsverfahren trennen wir von deren INHALTLICHER BEARBEITUNG, welche grundsätzlich den Richtern vorbehalten ist (Art 92 GG). Nicht alle richterlichen Tätigkeiten sind jedoch unmittelbar der inhaltlichen Bearbeitung zuzurechnen. Im Verlaufe eines Verfahrens hat der Richter (Vorsitzende) auch vielfache "Managementaufgaben" wahrzunehmen.

Die VERWALTUNG der Verfahren und Akten wird im wesentlichen von der Geschäftsstelle des Gerichts (§ 153 GVG) durchgeführt. Anweisungen erhält die Geschäftsstelle einerseits vom Richter (z.B. in Form von Verfügungen), andererseits von den Leitungsorganen der Gerichte (Präsident, Geschäftsleiter). Neben der Zivilprozeßordnung ist die Aktenordnung (AktO) - genauer: "Anweisung für die Verwaltung des Schriftguts bei den Geschäftsstellen der Gerichte und Staatsanwaltschaften" rechtliche Grundlage des Geschäftsbetriebs. In dieser weitgehend bundeseinheitlichen Verwaltungsanweisung sind die wichtigsten Vorschriften über die Registrierung von Verfahren, Bildung und Verwahrung von Akten enthalten.
Die Zählkartenausfüllung für die Justizstatistik findet ihre Grundlage in einer gemeinsamen Anordnung der Landesjustizverwaltungen über die Durchführung der Zählkartenerhebung auf dem Gebiet der Zivilsachen vom 6.11.1967.[3)]

Nach diesen Vorschriften können wir die wichtigsten Aufgaben des Geschäftsbetriebs wie folgt skizzieren:

a) Registrierung von Verfahren und Geschäftsübersichten:

Über die einzelnen Geschäftsvorgänge werden Aktenregister geführt (§ 1 Ziffer 1 AktO), d.h. jedes neue Verfahren wird zunächst, unter Vergabe eines Aktenzeichens (§ 4 Ziffer 1 AktO), registriert. In dem Verfahrensregister wird das Verfahren durch kurze Angabe der Parteien und des Gegenstandes dokumentiert. Nach Abschluß eines Verfahrens wird seine Erledigung notiert.
Durch diese Registrierung kann ohne Zugriff auf die Akten festgestellt werden, wieviele und welche Ver-

---

3) Die Justiz 1967, Seite 261

fahren bei einem Spruchkörper in einem bestimmten Zeitraum (z.B. Kalenderjahr) eingegangen und erledigt worden sind und wieviele Verfahren noch anhängig (unerledigt) sind. Die Geschäftsregister sind demgemäß Grundlage für die Geschäftsübersichten (§ 2 Ziffer 1 und 2 AktO).
Zu dem Verfahrensregister wird ein nach dem Namen des Beklagten geordnetes Namensverzeichnis geführt, in das auch der Name des Klägers und das Aktenzeichen eingetragen wird (§ 13 Ziffer 7 AktO). Dieses Namensverzeichnis ermöglicht es, Verfahren auch dann aufzufinden, wenn das Aktenzeichen unbekannt oder nicht vollständig bekannt ist.

b) Ausfüllen von Zählkarten:

Für jeden Zivilprozeß wird, nach der bereits erwähnten Verwaltungsanordnung, eine Zählkarte angelegt, bei Verfahrensabschluß vollständig ausgefüllt und an die statistischen Landesämter weitergeleitet. Die Zählkarten werden dort mit Hilfe der EDV ausgewertet; sie sind Grundlage der Justizstatistik. In den Zählkarten werden u.a. erfaßt: Eingangs- und Erledigungsdatum, Streitwert, Vertretung durch Anwälte, Bewilligung von Armenrecht, Erledigungsart und Anzahl der Termine.

c) Überwachen von Fristen und Terminen:

Sämtliche angeordneten oder von Amts wegen zu beobachtenden Fristen sind in den Geschäftskalender einzutragen. Über Verhandlungstermine wird ein Verhandlungskalender geführt (§ 6 Ziffer 1 und 2, § 13 Ziffer 6 AktO). Mit Hilfe dieser Kalender werden die Fristen und Termine überwacht; die vorbereitenden Arbeiten durchgeführt (z.B. Aktenvorlage, Erstellen der Sitzungsrolle, Einteilen von Protokollführern).

d) Bilden und Verwahren der Akten:

Schriftstücke, die die gleiche Angelegenheit (z.B.das gleiche Verfahren) betreffen, sind, nach dem Tage des Eingangs geordnet, zu Akten zu vereinigen (§ 3 Ziffer 1 AktO). Die Akten sind mit einem Aktenumschlag zu versehen, auf dem u.a. die Behörde (Gericht), die Angelegenheit, die Namen der Prozeßbevollmächtigten oder Verteidiger kurz anzugeben sind. Links unten ist das Aktenzeichen zu vermerken (§ 3 Ziffer 2 AktO). Termine werden meist links oben notiert.
Die Akten werden nach der Ordnung der Register und des Aktenplanes in Fächern niedergelegt. Außerhalb der Fächer dürfen Akten und Schriftstücke nur für vorliegende Arbeit verbleiben. Die Geschäftsstelle hat den Verbleib der eingegangenen Schriften und Akten nachzuweisen. Sie muß, auch bei abgegebenen Akten jederzeit den Verbleib feststellen können (§ 4 Ziffer 9, § 5 Ziffer 1 AktO). Zur Erfüllung dieser Verpflichtung werden an vielen Gerichten Register zur Aktenkontrolle geführt, in welche jede Aktenbewegung außerhalb der Geschäftsstelle (z.B. "am 10.10.79 an Richter") eingetragen wird.

Schon eine grobe Analyse der genannten Aufgaben zur Verfahrens- und Aktenverwaltung zeigt, daß nach dem bisherigen Verfahren in eine Vielzahl von Registern und Kalendern im wesentlichen die "gleichen" Daten, lediglich in abgewandelter Reihenfolge (Sortierung) und abgewandelter Form eingetragen und fortgeschrieben werden.
Bei dieser Sachlage liegt es nahe zu überlegen, ob nicht durch bloßen Wechsel des Datenträgers die Zahl der zu führenden Register und dadurch die Zahl der Eintragung drastisch reduziert werden kann.
Da zudem regelmäßig Auszählungen über Mengen von Verfahren erstellt werden müssen (z.B. für Geschäftsübersichten

und als Grundlage der Geschäftsverteilung), liegt es nahe, vom Medium Papier (in Buch- oder Karteiform) auf das Medium EDV überzuwechseln, da letzteres Medium vielfältige komfortable Lösungsmöglichkeiten bietet. Inhaltliche Veränderungen sind dabei in aller Regel entbehrlich.

3. DV-Unterstützung der gerichtlichen Verfahrensverwaltung

Das logische konzept zur DV-gestützten Verfahrensverwaltung geht davon aus, daß es ausreicht, sämtliche zur Verfahrensverwaltung erforderliche Daten nur einmal zu speichern, wenn ein ausreichend schneller Zugriff über mehrere Merkmale (z.B. Aktenzeichen, Beklagtenname, Verhandlungstermin) möglich ist.
Diese Forderung ist bei Anwendung der elektronischen Datenverarbeitung verhältnismäßig einfach zu erfüllen.
Bei der gegebenen Sachlage reicht es aus, sämtliche Verwaltungsdaten zu einem VERFAHRENSDATENSATZ zusammenzufassen. Der Verfahrensdatensatz entspricht dabei in seinem logischen Aufbau und in seiner Funktion einem Eintrag in einem konventionellen Verfahrensregister. Den Spalten des konventionellen Registers entsprechen die FELDER des VERFAHRENSDATENSATZES. Die bisher üblichen Spaltenbezeichnungen können als Feldnamen weiter verwendet werden (z.B. Aktenzeichen, Eingangsdatum, Beklagtenname). Auch die bisher übliche Form der jeweiligen Eintragungen kann weitgehend beibehalten werden. Lediglich für solche Felder, die als Sortier- oder Selektionskriterien genutzt werden sollen, müssen formale Darstellungsregeln eingehalten werden (z.B. Datumsschreibweise).
Die Führung der Register mittels EDV bietet dabei auch die Möglichkeit, ohne zusätzliche manuelle Tätigkeit, Aussagen über Mengen von Verfahren (z.B. Geschäftsübersichten und sonstige Statistiken) programmgesteuert zu gewinnen.

Die auszugebenden Daten, seien es Angaben über Einzeldaten, Listen über Verfahren oder Statistiken können zudem programmgesteuert in variabler Form ausgegeben werden. Auf diese Weise können die Daten dem Informationsbedarf und den Darstellungswünschen einzelner Benutzergruppen angepaßt werden.[4)]
Dieses logische Konzept kann praktisch auf jedem am Markt vorhandenen Rechner realisiert werden. Die verhältnismäßig geringe Menge der zu verarbeitenden Daten läßt es als zweckmäßig erscheinen, die Realisierung auf preiswerten, kleinen Anlagen der mittleren Datentechnik vorzunehmen. Diese haben zudem den Vorteil, daß sie kein spezielles "Rechenzentrum" erfordern und verhältnismäßig einfach zu bedienen sind.
Sie ermöglichen auch eine direkte on-line-Nutzung durch die Endbenutzer in den Geschäftsstellen.

Im Rahmen einer mehrjährigen Kooperation mit dem Hessischen Justizministerium, dem AG Wiesbaden und dem LG Frankfurt, wurde das logische Konzept stufenweise realisiert und im echten Gerichtsbetrieb erprobt. Für die weiter fortgeschrittene Anwendung am AG Wiesbaden wurde ein Rechner der Firma Philips (X-1150) mit 10 Mio Plattenspeicher, 1 Bandgerät, 2 Druckern und 4 Bildschirmendgeräten eingesetzt. Die Anwendungssoftware wurde aus Praktikabilitätsgründen in einer auf der Anlage verfügbaren Makrosprache (DATA) realisiert.
Eingabe, Pflege und Nutzung der Verfahrensdaten erfolgen formulargesteuert. So stellt das Programm zur Ersterfassung der Verfahrensdaten (Aktenanlage) den "Erfassungsbeleg" am Bildschirm als Maske dar. Der Erfasser wird programmgesteuert von Feld zu Feld geleitet und kann die

---

4) J. Dotterweich, M. Weihermüller "Ein rechnergestütztes System zur Optimierung gerichtlicher Verfahrensabläufe", DSWR 1977 Seite 343 ff.

Daten mittels Schreibmaschinentastatur eintippen. Diese werden durch vielfältige im Erfassungsprogramm enthaltene "Plausibilitätsprüfungen" weitgehend auf formelle Korrektheit geprüft. Wenn bei der Prüfung keine Fehler festgestellt werden, werden die Daten dem Rechner übergeben und in der Verfahrensdatei gespeichert. Wird ein formeller Fehler festgestellt, so werden dem Erfasser entsprechende Fehlerkommentare am Bildschirm angezeigt; er wird um erneute - korrigierte - Eingabe gebeten. Ein Teil der Verwaltungsdaten wird zudem automatisch generiert, z.B. die laufende Nummer des Aktenzeichens, wodurch sowohl Erfassungsaufwand als auch die Fehlerrate reduziert werden.
Ähnlich der Datenerfassung erfolgt die Pflege und Ergänzung der Datenbestände. Durch auf die jeweilige Aufgabe zugeschnittene Masken werden nur die jeweils zu verändernden Felder angezeigt (z.B. Terminsfeld) und können korrigiert bzw. ergänzt werden.
Die Nutzung der Daten für Auskunftszwecke, zur Erstellung der Zählkarten für das statistische Landesamt, zur Erstellung von Verfahrensübersichten, Terminrollen und Geschäftsübersichten erfolgt nach dem gleichen Prinzip.

Der mehrjährige Einsatz im echten Gerichtsbetrieb und die dabei betriebene intensive Benutzerforschung haben gezeigt, daß durch die DV-Unterstützung eine effektive, aufgaben- und benutzergerechte Durchführung der Verfahrensverwaltung möglich ist. Durchgeführte Nutz-/Kostenuntersuchungen haben auch die Wirtschaftlichkeit des Verfahrens bestätigt, wobei jedoch die Kosten zur Erstellung der Software nicht berücksichtigt worden sind.

Die Anwendung hat sich auch als so stabil erwiesen, daß sie ab 1.1.1980 von der hessischen Justiz in eigener Verantwortung übernommen wird.

4. Zielsetzung der DV-Unterstützung

Die Möglichkeit, Informationstechnologie zur Verwaltung gerichtlicher Verfahren einzusetzen rechtfertigt für sich alleine noch nicht, diese Möglichkeit auch zu nutzen. Da das vorgelegte Konzept von der Struktur des bisherigen Arbeitsablaufes - bewußt - nicht abweicht, hält sich der Rationalisierungseffekt in Grenzen. Dies gilt zumindest für die operative Ebene, den eigentlichen Geschäftsbetrieb.
Die Erfassung, Pflege und Nutzung der Daten mittels Datensichtstation und Schreibmaschinentastatur bringt in quantitativer Hinsicht kaum Verbesserungen gegenüber der konventionellen Nutzung von Karteikarten. Einzelnen Vorteilen wie der Textgenerierung stehen die unbestrittenen Vorteile des bisherigen Mediums Papier, insbesondere dessen besonders günstige ergonomische Handlichkeit gegenüber.
Vorteile zeigen sich jedoch dann deutlich, wenn Übersichten für Leitungsorgane (z.B. über den Geschäftsanfall) erstellt werden müssen. Im bisherigen Betrieb werden erhebliche Anstrengungen unternommen, um aktuelle und einigermaßen zuverlässige Übersichten über den Geschäftsanfall, seine Verteilung auf die einzelnen Spruchkörper und deren Rückstände verfügbar zu haben (Hausstatistiken). Neben den Geschäftsstellenverwaltern, denen diese zusätzlichen Hausstatistiken auferlegt werden, wird an vielen, vor allem größeren Gerichten, auch richterliche Arbeitskraft auf die Beschaffung und Aufbereitung derartigen Zahlenmaterials verwendet. Hier kann bei EDV-Einsatz der manuelle Aufwand entscheidend verringert werden. Nahezu alle benötigten Übersichten können programmgesteuert erzeugt werden.

Den Leitungsebenen wird durch den verbesserten Informationsstand die Möglichkeit gegeben, ihren Leitungs- und

Koordinierungsaufgaben frühzeitig und effektiv nachzukommen. Durch kontinuierliche Beobachtung des Geschäftsanfalls und der Arbeitsbelastung einzelner Spruchkörper können frühzeitig Entwicklungen erkannt werden, welche Eingriffe erfordern (z.B. Änderungen der Geschäftsverteilung).
Durch gesteigerte Transparenz können nicht nur die vorhandenen Kapazitäten besser genutzt werden. Gerechtere Verteilung der Geschäfte und der Arbeitslast kann auch einen wesentlichen Beitrag zu verbessertem Arbeitsklima beitragen.

Der DV-Einsatz ermöglicht es auch, qualitative Verbesserungen gegenüber dem bisherigen Verfahren durchzusetzen. Schon bei der Datenersterfassung für die "Aktenanlage" verhindern vielfältige Plausibilitätsprüfungen die Aufnahme fehlerhafter Daten. Hierdurch und durch die Prüfungen bei der Zählkartenschlußbehandlung können die bisherigen Beanstandungen von formell fehlerhaften Zählkarten durch die statistischen Landesämter und der zu ihrer Beseitigung erforderliche Aufwand ausgeschlossen werden.

Arbeitserleichterungen sind auch bei sonstigen "Folgeverarbeitungen" möglich, z.B. bei der Fertigung von Ladungen. Durch ein formulargestütztes Ladungsprogramm können die Ladungen vom Geschäftsstellenverwalter selbst "in Auftrag" gegeben werden. Die Ladungen werden vom DV-System automatisch gedruckt. Der aufwendige Aktentransport zur Kanzlei und das Schreiben der Ladungsformulare in der Kanzlei entfällt.

Zusammenfassend kann festgehalten werden, daß in der derzeitigen Ausbaustufe des Systems im operativen Bereich quantitativ nur geringe Rationalisierungseffekte erreicht werden, daß die angestrebten Verbesserungen vielmehr im qualitativen Bereich und im Bereich der Leitungsebenen deutlich werden.

5. Folgen eines IT-Einsatzes

Der Einsatz von Informationstechnologie zur Unterstützung von Büro- bzw. Verwaltungstätigkeit kann in verschiedener Hinsicht unerwünschte Folgen mit sich bringen, von welchen hier nur einige skizziert werden sollen.

Die Nutzung von Informationstechnologie als Kommunikationsmedium setzt eine weitgehende Formalisierung der Kommunikation voraus. Das Medium EDV kann in aller Regel nicht so einfach "unformatiert" beschrieben und gelesen werden, wie Papier. Die Nutzung der besonderen Möglichkeiten der EDV setzt vielmehr Strukturierungen, "logische Formulare" voraus. Die Struktur solcher Formulare kann, wenn sie einmal eingeführt ist, nicht ohne weiteres verändert werden. Auch die zugelassenen Eintragungen in die Formularfelder sind in aller Regel festgelegt (standardisiert). Nicht vorgesehene - im Einzelfall jedoch sinnvolle - Zusätze können kaum mit "notiert" werden, wenn an sie nicht von vorneherein bei der Konzeption des "Formulars" gedacht worden ist. Offene, nicht formalisierte Kommunikation ist jedoch für ungestörte soziale Interaktion von wesentlicher Bedeutung.[5)] Wird durch intensive Formalisierung, wie wir sie derzeit im "Formularunwesen" kennen, die Kommunikationsbeziehung gestört, so kann dies Folgen mit sich bringen, welche Rationalisierungsgewinne in ihrer Auswirkung bei weitem überwiegen. Dies gilt nicht nur für die Außenbeziehung Amt (Gericht) zum Bürger sondern auch für Kommunikationsbeziehungen innerhalb von Ämtern (Gerichten).
Es wird somit darauf ankommen, sehr behutsam vorzugehen und Informationstechnologie nicht als Anlaß oder Vorwand zu nehmen, um Kommunikationsbeziehungen weiter zu beeinträchtigen.

---

5) H. Fiedler "Automatisierung der Rechtspflege im Rechtsstaat", RpflBl 1979, Seite 47 ff (50,52)

Reduzierte Flexibilität und übertriebene Reduktion von Komplexität werden durch einen weiteren wesentlichen Aspekt der Informationstechnologie noch verstärkt. EDV ist zwar von ihrer Grundlage her ein sehr mächtiges, universelles Instrument. Wesentlich ist jedoch, daß ein sinnvoller Einsatz meist erst möglich ist, wenn problemspezifische "Anwendungssoftware" zur Verfügung steht. Während nun die Kosten für Geräte (Hardware) seit Jahren stark fallen und auch weiter fallen werden, nehmen die Kosten für die Erstellung der anwendungsspezifischen Software rapide zu. Softwareentwicklungskosten gehen vielfach in die Millionen. Sie sind nur noch zu vertreten, wenn gewährleistet ist, daß sie auf viele Anwendungen "umgelegt" werden können. Die Softwareentwicklung ist zudem sehr zeitaufwendig, d.h. es dauert meist Jahre, ehe die benötigte Software zur Verfügung steht. Da sich in dieser Zeit sowohl die Benutzeranforderungen als auch die Möglichkeiten der Technik fortentwickeln, steht meist schon bei ihrer Einführung veraltete Software zur Verfügung. Da die Softwareentwicklungskosten stark ins Gewicht fallen, wird die Software häufig so konzipiert, daß sie nur Mindesterfordernisse erfüllt und Anpassungen an künftige Bedürfnisse oder Erweiterungen nur mit großem Aufwand zuläßt. Der dann sehr hohe Änderungsaufwand läßt es dann häufig nicht mehr zu, rechtzeitige Anpassungen durchzuführen. Hinzu kommt noch, daß die Versuchung, hochintegrierte Lösungen zu bevorzugen, zu derart komplexen Systemen führt, daß die Auswirkungen von Änderungen nicht mehr vorhersehbar sind. Dies verstärkt wiederum die Tendenz, es um nahezu jeden Preis bei der einmal funktionierenden Lösung zu belassen und vor notwendigen Änderungen die Augen zu verschließen. Die nicht mehr vorhandene Beherrschbarkeit derartiger Systeme muß beinahe dazu führen, daß nicht mehr die Bedürfnisse der Aufgabe im Vordergrund

stehen sondern selbstgezüchtete technologische Sachzwänge.
Die Gefahr einer unkontrollierten Abhängigkeit von der Informationstechnologie geht häufig einher mit erheblich gesteigerter Verletzlichkeit des gesamten Verwaltungssystems. Hochintegrierte, zentral organisierte DV-Systeme sind anfällig. Dies bezieht sich sowohl auf zufällige Gefahren wie Katastrophen als auch auf Gefahren vorsätzlichen Mißbrauchs oder der Sabotage. Gewollte oder ungewollte Beschädigungen des Systems können unübersehbare Folgen nach sich ziehen. Diese müssen dann um nahezu jeden Preis vermieden werden. Dies erfordert extrem aufwendige und häufig kaum mehr menschenwürdige Maßnahmen. Als harmloses Beispiel soll hier nur an die Möglichkeiten von Streiks in Rechenzentren erinnert werden (vgl. Fluglotsenstreik).

6. Konsequenzen

Die oben skizzierten Folgen des Einsatzes von Informationstechnologie müssen nicht zu der Entscheidung führen, Informationstechnologie im gerichtlichen Geschäftsbetrieb für zu nachteilig zu halten. Vermieden werden muß aber eine unreflektierte Innovation in diesem sensiblen Bereich.
Die obengenannten Gefahren können zwar nicht völlig ausgeräumt werden. Durch bewußte Einbeziehung bereits in den Konzeptionsprozeß können sie weitgehend entschärft werden. Im folgenden sollen einige Vorschläge unterbreitet werden, welche dazu beitragen können, die Gefahren bei der Unterstützung des gerichtlichen Geschäftsbetriebs gering zu halten.
Gefahren der Überformalisierung lassen sich dadurch in Grenzen halten, daß man sensible Bereiche der Kommunikation möglichst nicht mit in den zu unterstützenden Auf-

gabenbereich einbezieht. Dieser sollte im wesentlichen auf interne Kommunikation und auch hier auf Verfahrensverwaltung und Koordinierung beschränkt bleiben. Parteien für ihre Anträge und Gesuche die Verwendung von Formularen vorzuschreiben, sollte vermieden bzw. abgeschafft werden. Der Bürger sollte nicht zur Datenerfassung für Verwaltungssysteme genötigt werden.
Auch den Problemen, welche in der aufwendigen und langwierigen Entwicklung der Anwendungssoftware und in deren geringer Flexibilität liegen, kann man mit Erfolg entgegenwirken. Hierfür ist es zunächst besonders wichtig, daß man die Gefahren nicht zu gering achtet, ihnen vielmehr im Verhältnis zu den üblichen ökonomischen Faktoren den ihnen zukommenden Stellenwert beimißt. Notwendige Flexibilität muß bereits im Softwarekonzept verankert sein. Prinzip muß dabei sein, nicht eine starre, nur schwer änderbare Lösungsvariante zu realisieren sondern hinreichend Spielraum für Veränderungen vorzusehen. Dieses Flexibilitätskonzept ist vor allem dann gangbar, wenn wahrscheinliche Änderungsrichtungen mit einigermaßen Zuverlässigkeit prognostiziert werden können.
Flexibilität und Änderungsfreundlichkeit im Softwarebereich kann vor allem aber durch modulare, strukturierte Realisierungsverfahren gesteigert werden.

Verletzlichkeit von Systemen kann dadurch verringert werden, daß man auf komplexe, hochintegrierte Lösungen verzichtet und die Realisierung auf autonomen kleineren Systemen mit eigenen, abgeschotteten Datenbeständen durchführt. Für die DV-Unterstützung des gerichtlichen Geschäftsbetriebs würde dies bedeuten, daß man nicht einen Datenbestand für das gesamte Gericht anlegt, auf den von vielen, kaum kontrollierbaren Stellen aus zugegriffen wird. Vorzuziehen sind Lösungen, welche jeder Geschäftsstelle ein weitgehend autonomes Anwendungssystem zur Ver-

fügung stellt, was zwar kontrolliert mit anderen autonomen Systemen kommunizieren kann, von dem Funktionieren dieser Kommunikation aber nicht abhängig ist. Lösungen in dieser Richtung würden sich eng an das konventionelle Verfahren anlehnen, in dem die Geschäftsstellen jeweils autonom ihre Verfahrensdatenbestände verwalten und nur gelegentlich einige Daten für Leitungs- und Koordinierungsaufgaben weitergeben (Geschäftsübersichten, Zählkarten etc.).
Die Verfolgung der aufgezeigten Lösungsmöglichkeiten kann zu einem sinnvollen Einsatz von EDV bei der Unterstützung des gerichtlichen Geschäftsbetriebs führen. Diese Ansätze sind jedoch keine Patentrezepte, welche ausreichen, um unerwünschte Folgen zu vermeiden. Sie sind jedoch Ausdruck einer kritischen Einstellung gegenüber einer wenig reflektierten Technologiegläubigkeit. Diese kritische Einstellung muß davor warnen, aus vermeintlichen technologiebezogenen Sachzwängen Grundprinzipien unserer Rechtspflege anzutasten oder gar aufzugeben. Das automatisierte Mahnverfahren sei hier als mahnendes Beispiel für eine nicht ausreichend reflektierte und kaum mehr vertretbare Entwicklung genannt.
Für den Bereich der Rechtspflege ist eine vorausschauende, bewußte Politik der Informatisierung notwendig.

Datenverarbeitung im Recht (DVR)

Archiv für die gesamte Wissenschaft der Rechtsinformatik, der Rechtskybernetik und der Datenverarbeitung in Recht und Verwaltung.

Organ der Gesellschaft für Rechts- und Verwaltungsinformatik e. V.

Geschäftsführender Herausgeber: Oberstaatsanwalt beim BGH Dr. Sigmar Uhlig, Berlin (West)

Die Zeitschrift erscheint bandweise, ein Band besteht aus 4 Heften zu je 96 Seiten. Format 16,2 x 24,2 cm. Abonnementspreis z. Z. pro Band in Heften DM 264,–; Vorzugspreis für Studenten und Referendare (gegen Vorlage einer Ausbildungsbestätigung) in Heften DM 198,–. Einzelheft DM 66,–, Doppelheft DM 132,–. Mitglieder der Gesellschaft für Rechts- und Verwaltungsinformatik e. V. können bei Bestellung über die Geschäftsstelle die Zeitschrift zu einem um 20% ermäßigten Preis beziehen.

DVR – Beihefte

Geschäftsführender Herausgeber: Oberstaatsanwalt beim BGH Dr. Sigmar Uhlig, Berlin (West).

DVR-Beiheft 1: Podlech

Datenschutz im Bereich der öffentlichen Verwaltung

Entwürfe eines Gesetzes zur Änderung des Grundgesetzes (Art. 75 GG) zur Einführung einer Rahmenkompetenz für Datenschutz und eines Bundesdatenschutz-Rahmengesetzes von Dr. phil. Dr. jur. Adalbert Podlech, Universitätsdozent in Heidelberg. Groß-Oktav. XVI, 97 Seiten. 1973. Kartoniert DM 64,– ISBN 3 8059 0339 1

DVR-Beihefte 2 und 3:

Informationsverhalten und Informationsbedarf von Juristen

Eine Erhebung von Infratest Sozialforschung, München, im Auftrag des Bundesministeriums der Justiz und der Gesellschaft für Mathematik und Datenverarbeitung. Projektleitung: Knut Jungjohann (Infratest), Dr. Ulrich Seidel (GMD), Dr. Werner Sörgel (Infratest), Dr. Sigmar Uhlig (BMJ).

Teil 1: Analyse-Band

Groß-Oktav. VIII, 154 Seiten. 1974. Kartoniert DM 38,– ISBN 3 8059 0375 8 (DVR-Beiheft 2).

Teil 2: Tabellen-Band

Groß-Oktav. XX, 538 Seiten. 1976. Kartoniert DM 220,– ISBN 3 8059 0376 6 (DVR-Beiheft 3).

DVR-Beiheft 4: Bühnemann

Datenschutz im nicht-öffentlichen Bereich

unter besonderer Berücksichtigung der Kreditwirtschaft und der Versicherungswirtschaft – Stellungnahme zu dem Entwurf eines Bundes-Datenschutzgesetzes (BDSG). Von Dr. jur. Bernt Bühnemann, Wissenschaftlicher Oberrat an der Universität Hamburg. Groß-Oktav. X, 157 Seiten. 1974. Kartoniert DM 48,– ISBN 3 8059 0373 1

DVR-Beiheft 5: Gebhardt (Hrsg.)

Beiträge zur Methodik juristischer Informationssysteme

Von Prof. Dr. Dr. H. Fiedler, Dr. R. Franzen, Dr. F. Gebhardt, Dr. B. S. Müller, J. Poetsche, G. Reiner, J. Stellmacher (alle GMD, St. Augustin), Prof. Dr. P. C. Lockemann, Univ. Karlsruhe. Herausgegeben von Dr. Friedrich Gebhardt, Gesellschaft für Mathematik und Datenverarbeitung, St. Augustin. Groß-Oktav. IV, 208 Seiten. 1975. Kartoniert DM 58,– ISBN 3 8059 0439 8

DVR-Beiheft 6: Vrecion

Informationstheorie und Recht

Zur Anwendung kybernetischer Methoden in der Rechtswissenschaft. Von Dr. Vladimir Vrecion, CSc., Dozent an der Rechtsfakultät der Karls-Universität in Prag. Mit einer Einleitung von Dr. Dr. Adalbert Podlech, Professor am Fachbereich Rechts- und Wirtschaftswissenschaften der Technischen Hochschule Darmstadt. Groß-Oktav. XVI, 136 Seiten. 1976. Kartoniert DM 52,– ISBN 3 8059 0436 3

DVR-Beiheft 7: Müller (Hrsg.)

Beiträge zur Sprachverarbeitung in juristischen Dokumentationssystemen

Herausgegeben von Dr. Bernd S. Müller, Gesellschaft für Mathematik und Datenverarbeitung, Institut für Datenverarbeitung im Rechtswesen. Mit einer Einleitung von H. Fiedler und Beiträgen von R. Antel, Bundesministerium der Justiz, Bonn, F. Gebhardt, J. Loosen, B. S. Müller, G. Reiner, M. Weihermüller, alle GMD, Birlinghoven. Groß-Oktav. IV, 204 Seiten. 1976. Kartoniert DM 62,– ISBN 3 8059 0457 6

DVR-Beiheft 8: Blankenburg/von Kempski/Lebrun/Morasch/Schumacher

Die Rechtspflegestatistiken

Analyse der Benutzerinteressen und Vorschläge für eine neue Konzeption. Von Erhard Blankenburg, Harald von Kempski, Bernhard Lebrun, Hellmut Morasch, Heinrich Schumacher. Groß-Oktav. II, 114 Seiten. 1978. Kartoniert DM 48,– ISBN 3 8059 0472 X

DVR-Beiheft 9: Reichelt

Schreibautomaten in der ordentlichen Gerichtsbarkeit

Einsatzbereiche und Erfahrungen. Eine Umfrage von Peter Reichelt. Groß-Oktav. IV, 97 Seiten. 1978. Kartoniert DM 44,– ISBN 3 8059 0525 4

DVR-Beiheft 10: Korff (Hrsg.)

Beiträge zur Methodik des Berichtswesens in integrierten Budgetierungssystemen

Herausgegeben von Ministerialdirektor a. D. Hans Clausen Korff, Internationales Institut für Verwaltungswissenschaften, Brüssel. Groß-Oktav. VI, 265 Seiten. 1979. Kartoniert DM 96,– ISBN 3 8059 0530 0

DVR-Beiheft 11: Rodingen

Rechts- und Verwaltungsinformatik in der Sowjetunion

Eine sozialwissenschaftliche Studie. Von Hubert Rodingen, Fachhochschule Münster. Groß-Oktav. 143 Seiten. 1979. Kartoniert DM 70,– ISBN 3 8059 0513 0

DVR-Beiheft 12
Automation in Gerichts- und Verwaltungverfahren
J. Schweitzer Verlag · Berlin 1980

Anmerkungen zum Aufsatz U. Horn (S. 102):

Rechtstatsachen zur Funktion des Widerspruchs- und Gerichtsverfahrens bei typisierenden Massenverwaltungen (Rentenversicherung)

Die Ausführungen zum oben genannten Thema lehnen sich an eine Voruntersuchung der Gesamthochschule Kassel an.
Bei dieser Voruntersuchung handelt es sich um punktuelle Erhebungen innerhalb der gesetzlichen Rentenversicherung, die nur einen kleinen Kreis von Versicherten erfaßt haben und deshalb nicht repräsentativ sein können (vergleiche auch Anmerkung 3 des Aufsatzes).
Außerdem sind in der Voruntersuchung nur einige Ausschnitte aus dem gesamten Verwaltungsverfahren herausgegriffen. Erst die umfassende Hauptuntersuchung wird eine definitive Beurteilung der komplexen Verfahrensabläufe zulassen.